U0150342

国家陆地生态系统定位观测研究站研究成果

中国陆地生态系统质量定位观测研究报告 2020

森　林

国家林业和草原局科学技术司 ◎ 编著

中国林业出版社
China Forestry Publishing House

图书在版编目（CIP）数据

中国陆地生态系统质量定位观测研究报告.2020.森林 /国家林业和草原局科学技术司编著. —北京：中国林业出版社，2021.11
（国家陆地生态系统定位观测研究站研究成果）
ISBN 978-7-5219-1053-7

Ⅰ. ①中⋯ Ⅱ. ①国⋯ Ⅲ. ①陆地–生态系–观测–研究报告–中国–2020 ②森林生态系统–观测–研究报告–中国–2020 Ⅳ. ①Q147

中国版本图书馆 CIP 数据核字（2021）第 222485 号

审图号：GS（2021）8675

责任编辑：于晓文　　贺晓锋

出版　中国林业出版社（100009　北京西城区刘海胡同 7 号）
　　　网址　http：//www.forestry.gov.cn/lycb.html　电话　010-83143542
发行　中国林业出版社
印刷　北京博海升彩色印刷有限公司
版次　2021 年 11 月第 1 版
印次　2021 年 11 月第 1 次印刷
开本　889mm×1194mm　1/16
印张　10
字数　160 千字
定价　108.00 元

编委会

编写说明

习近平总书记强调："绿水青山既是自然财富、生态财富，又是社会财富、经济财富。"那么，我国"绿水青山"的主体——陆地生态系统的状况怎么样、质量如何？需要我们用科学的方法，获取翔实的数据，进行认真地分析，才能对"绿水青山"这个自然财富、生态财富，作出准确、量化地评价。这就凸显出陆地生态系统野外观测站建设的重要性、必要性，凸显出生态站建设、管理、能力提升在我国生态文明建设中的基础地位、支撑作用。

党的十八大以来，党中央、国务院高度重视生态文明建设，把生态文明建设纳入"五位一体"总体布局，并将建设生态文明写入党章，作出了一系列重大决策部署。中共中央、国务院《关于加快推进生态文明建设的意见》明确要求，加强统计监测，加快推进对森林、湿地、沙化土地等的统计监测核算能力建设，健全覆盖所有资源环境要素的监测网络体系。

长期以来，我国各级林草主管部门始终高度重视陆地生态系统监测能力建设。20 世纪 50 年代末，我国陆地生态系统野外监测站建设开始起步；1998 年，国家林业局正式组建国家陆地生态系统定位观测研究站（以下简称"生态站"）；党的十八大以后，国家林业局（现为国家林业和草原局）持续加快生态站建设步伐，不断优化完善布局，目前已形成拥有 202 个（截至 2019 年年底）站点的大型定位观测研究网络，涵盖森林、草原、湿地、荒漠、城市、竹林六大类型，基本覆盖陆地生态系统主要类型和我国重点生态区域，成为我国林草科技创新体系的重要组成部分和基础支撑平台，在生态环境保护、生态服务功能评估、应对气候变化、国际履约等国家战略需求方面提供了重要科技支撑。

经过多年建设与发展，我国生态站布局日趋完善，监测能力持续提升，积累了大量长期定位观测数据。为准确评价我国陆地生态系统质量，推动林草事业高质量发展和现代化建设，我们以生态站长期定位观测数据为基础，结合有关数据，首次组织编写了国家陆地生态系统定位观测研究站系列研究报告。

本系列研究报告对我国陆地生态系统质量进行了综合分析研究，系统阐述了我国陆地生态系统定位观测研究概况、生态系统状况变化以及政策建议等。研究报告共分总论、森林、草原—东北地区、湿地、荒漠、城市生态空间、竹林—闽北地区 7 个分报告。

由于编纂时间仓促，不足之处，敬请各位专家、同行及广大读者批评指正。

丛书编委会
2021 年 8 月

序　一

　　陆地生态系统是地质环境与人类社会经济相互作用最直接、最显著的地球表层部分，通过其生境、物种、生物学状态、性质和生态过程所产生的物质及其所维持的良好生活环境为人类提供服务。我国幅员辽阔，陆地生态系统类型丰富，在保护生态安全，为人类提供生态系统服务方面发挥着不可替代的作用。但是，由于气候变化、土地利用变化、城市化等重要环境变化影响和改变着各类生态系统的结构与功能，进而影响到优良生态系统服务的供给和优质生态产品的价值实现。

　　1957 年，我赴苏联科学院森林研究所学习植物学理论与研究方法，当时把学习重点放在森林生态长期定位研究方法上，这对认识森林结构和功能的变化是一种必要的手段。森林是生物产量(木材和非木材产品)的生产者，只有阐明了它们的物质循环、能量转化过程及系统运行机制，以及森林生物之间、森林生物与环境之间的相互作用，才能使人们认识它们的重要性，使森林更好地造福人类的生存和生活环境。当时，这种定位站叫"森林生物地理群落定位研究站"，现在全世界都叫"森林生态系统定位研究站"。我在研究进修后就认定了建设定位站这一特殊措施，是十分必要的。1959 年回国后，我即根据研究需要，于 1960 年春与四川省林业科学研究所在川西米亚罗的亚高山针叶林区建立了我国林业系统第一个森林定位站，开展了多学科综合性定位研究。

在各级林草主管部门和几代林草科技工作者的共同努力下，国家林业和草原局建设的中国陆地生态系统定位观测研究站网（CTERN）已成为我国林草科技创新体系的重要组成部分和基础支撑平台，在支持生态学基础研究和国家重大生态工程建设方面发挥了重要作用，解决了一批国家急需的生态建设、环境保护、可持续发展等方面的关键生态学问题，推动了我国生态与资源环境科学的融合发展。

国家林业和草原局科学技术司组织了一批年富力强的中青年专家，基于 CTERN 的长期定位观测数据，结合国家有关部门的专项调查和统计数据以及国内外的遥感和地理空间信息数据，开展了森林、湿地、荒漠、草原、城市、竹林六大类生态系统质量的综合评估研究，完成了《中国陆地生态系统质量定位观测研究报告（2020）》。

该系列研究报告介绍了生态站的基本情况和未来发展方向，初步总结了生态站在陆地生态系统方面的研究成果，阐述了中国陆地生态系统质量状态及生态服务功能变化，为准确掌握我国陆地生态状况和环境变化提供了重要数据支撑。由于我一直致力于生态站长期定位观测研究工作，非常高兴能看到生态站网首次出版系列研究报告，虽然该系列研究报告还有不足之处，我相信，通过广大林草科研人员持续不断地共同努力，生态站长期定位观测研究在回答人与自然如何和谐共生这个重要命题中将会发挥更大的作用。

中国科学院院士

2021 年 8 月

序　二

  党的十九届五中全会通过的《中共中央关于制定国民经济和社会发展第十四个五年规划和二〇三五年远景目标的建议》提出了提升生态系统质量和稳定性的任务，对于促进人与自然和谐共生、建设美丽中国具有重大意义。建立覆盖全国和不同生态系统类型的观测研究站和生态系统观测研究网络，开展生态系统长期定位观测研究，积累长期连续的生态系统观测数据，是科学而客观评估生态系统质量变化及生态保护成效，提高生态系统稳定性的重要科技支撑手段。

  林业生态定位研究始于 20 世纪 60 年代，1978 年，林业主管部门首次组织编制了《全国森林生态站发展规划草案》，在我国林业生态工程区、荒漠化地区等典型区域陆续建立了多个生态站。1992年，林业部组织修订《规划草案》，成立了生态站工作专家组，提出了建设涵盖全国陆地的生态站联网观测构想。2003 年，正式成立"中国森林生态系统定位研究网络"。2008 年，国家林业局发布了《国家陆地生态系统定位观测研究网络中长期发展规划（2008—2020年）》，布局建立了森林、湿地、荒漠、城市、竹林生态站网络。2019 年又布局建立了草原生态站网络。经过 60 年的发展历程，我国生态站网建设方面取得了显著成效。到目前为止，国家林业和草原局生态站网已成为我国行业部门中最具有特色、站点数量最多、覆盖陆地生态区域最广的生态站网络体系，为服务国家战略决策、提升林草科学研究水平、监测林草重大生态工程效益、培养林草科研人才提供了重要支撑。

《中国陆地生态系统质量定位观测研究报告(2020)》是首次利用国家林业和草原局生态站网观测数据发布的系列研究报告。研究报告以生态站网长期定位观测数据为基础,从森林、草原、湿地、荒漠、城市、竹林6个方面对我国陆地生态系统质量的若干方面进行了分析研究,阐述了中国陆地生态系统质量状态及生态服务功能变化,为准确掌握我国陆地生态系统状况和环境变化提供了重要数据支撑,同时该报告也是基于生态站长期观测数据,开展联网综合研究应用的一次重要尝试,具有十分重要的意义。

党的十八大以来,以习近平同志为核心的党中央把生态文明建设纳入"五位一体"国家发展总体布局,作为关系中华民族永续发展的根本大计,提出了一系列新理念新思想新战略,林草事业进入了林业、草原、国家公园融合发展的新阶段。在新的历史时期,推动林草事业高质量发展,不但要增"量",更要提"质"。生态站网通过长期定位观测研究,既能回答"量"有多少,也能回答"质"是如何变化。期待国家林业和草原局能够持续建设发展生态站网,不断提升生态站网的综合观测和研究能力,持续发布系列观测研究报告,为新时期我国生态文明建设做好优质服务。

中国科学院院士 于贵瑞

2021 年 8 月

前　言

　　党的十九大提出"新时代我国社会主要矛盾是人民日益增长的美好生活需要和不平衡不充分的发展之间的矛盾"。人民美好生活的需求不但包括物质产品，还包括高质量的生态产品。森林作为提供生态产品的主体，具有固碳释氧、涵养水源、水土保持、防风固沙等多种生态效益，在生物界和非生物界的物质交换和能量流动中扮演重要角色，维持着陆地生态系统整体功能平衡。为研究我国森林生态系统结构和功能，监测森林生态效益，从 20 世纪 60 年代开始建立森林生态系统定位观测研究站，目前国家林业和草原局已建立了 106 个森林生态站，初步形成了沿不同气候带分布的合理布局，是目前全球范围内单一生态系统国家尺度最大的生态观测网络。

　　本报告基于我国森林生态连清体系和森林生态站长期野外观测数据，对我国近 40 年森林资源及其生态服务功能进行了系统评价。阐述了我国 40 年来森林资源的变化情况，并对其变化原因进行了初步分析；根据全国森林资源连续清查结果，首次连续、动态评估了 40 年来我国森林生态服务功能动态变化与空间格局。本报告充分反映了 40 年来我国林业生态建设成果，对于我国开展生态系统服务功能评价，推动生态效益科学量化补偿，构建生态 GDP 核算体系，算清楚"绿水青山"值多少"金山银山"具有现实意义。

　　报告成果主要依托于中国森林生态系统定位观测研究网络以及国家林业和草原局典型林业生态工程效益监测评估国家创新联盟，同时受到"中国森林核算及纳入绿色经济评价研究"项目中森林生态服务功能核算专题（2013—2019 年）和国家重点研发计划"森林荒漠湿地生态质量监测技术集成与应用示范（2017YFC0503804）"子课题的资助。

本书编写组

2021 年 8 月

目　录

第一章 中国森林生态系统定位观测研究概况

长期定位观测是国际上为研究、揭示生态系统的结构与功能变化规律而采用的重要手段。它是一种通过在典型自然或人工的生态系统地段，建立生态系统定位观测站，在长期固定样地上，对生态系统的组成、结构、生物生产力、养分循环、水循环等在自然状态下或某些人为活动干扰下的动态变化格局与过程进行长期监测，阐明生态系统发生、发展、演替的内在机制和生态系统自身的动态平衡，以及参与生物地球化学循环过程等不可替代的研究方法。中国森林生态系统定位观测研究网络（CFERN）是根据我国生态环境建设需要，适应新世纪林业跨越式发展的趋势，满足天保工程、防沙治沙工程、退耕还林（草）工程等六大林业重点工程建设的要求而建立和逐步发展完善的。CFERN 的主要目的是通过野外台站长期定位的监测，从水、土、气、生四方面入手，系统分析森林生态系统对生态环境影响的物理、化学和生物学过程；从格局-过程-尺度有机结合的角度，研究水、土、气、生界面的物质转换和能量流动规律，定量分析不同时空尺度上生态过程演变、转换与耦合机制；建立森林生态环境及其效益的评价、预警、调控体系。

第一节 总体目标与主要任务

一、总体目标

以十字式网络定位观测为基础，从个体、种群、群落和系统 4 个水平上同步对森林生态系统结构和功能进行长期、全面的监测，揭示森林生态系统组成、结构与气候环境之间的关系，监测人类活动对系统的冲击与其自我调节过程，确定森林在我国生态环境建设中的作用和地位，并建立森林生态环境动态评价、监测和预警体系，为我国和全球的生态环境建设、森林资源可持续利用和经济可持续发展提供科学依据。

二、主要任务

本网络通过定位观测研究，应用现代对地空间观测的各种先进技术（现代遥感、全球定位、地理信息系统），采用生态梯度的耦合研究方法，深入研究生态环境变化与中国森林生态系统结构、功能之间相互反馈机理，以及森林生态系统变化对我国社会经济发展的生态效应，主要任务：①建立中国主要森林生态系统结构、功能与生态环境因子数据库；②建立区域、国家尺度上的森林资源、生态环境、水资源以及有关的社会经济数据库；③建立中国主要流域森林生态效益评估体系；④建立森林生态环境动态监测网络和预警体系；⑤量化森林在"双碳"战略中的重要作用。

第二节　发展历程

与国外一些发达国家生态定位研究相比，中国森林生态系统定位研究起步较晚。20 世纪 50 年代末 60 年代初，蒋有绪等老一辈科学家率先借鉴苏联的生物地理群落的理论和方法，在小兴安岭阔叶红松林、长白山自然保护区、湖南会同杉木人工林、四川米亚罗亚高山针叶林、云南西双版纳及海南尖峰岭的热带雨林等几处结合当地的自然条件和生产实际开展专项半定位的观测研究工作。70 年代后，广泛吸收欧美等国家的生态系统理论和监测方法，开展了系统水平上的物流、能流定位研究，并逐步建立了以能量物质多级利用、实现"低耗高效"为目标的森林生态系统经营的理论体系和实践模式。1978 年，林业部正式召开"森林生态系统研究"的规划会议，制定了全国发展规划草案。

20 世纪 80 年代后期，森林生态定位研究站规模不断完善和扩大，并向网络化发展。同时，林业部门通过"七五""八五"及"九五"国家科技攻关项目和林业生态工程建设项目，分别在三北、长江、黄河、沿海、太行山等生态林业工程区内建立了近 30 个定位监测点，监测防护林体系的生态功能及环境效益。另外，林业部门在荒漠化地区、重要的湿地以及三峡库区建立了多个生态定位监测站，开展大气、植被、土壤、水文等多方面的系统观测。这些不同类型的监测站构成了我国林业生态环境效益监测网络的主体，形成了从沿海到内地、从农田林网到山地森林、从内陆湿地到干旱荒漠化地区的生态环境监测网络系统（图 1-1）。这些森林生态环境监测体系取得了不同层次的长期监测数据信息和一系列研究成果，对于我国林业生态环境建设起了较大的指导作用。但是，此时我国林业生态环境效益监测网络建设还未达到合理的空间布局，对长江经济带、黄河流域等关键区域的监测能力不足，不能够满足新时代林业高质量发展的需求。

根据我国生态环境建设需要和形势发展，1992 年林业部在黑龙江省帽儿山召开了已建成并持续开展工作的 11 个定位站的工作会议，全面总结了 10 年来的研究工作，修订了规划，组成了联网和专家组。这次会议使我国森林生态系统定位研究进入一个新的阶段，是一次涉及与国际联网研究以及全球环境与发展战略接轨的重要会议。随后，成立了由 11 个生态站组成的中国森林生态系统定位研究网络，制定了《林业部森林生态系统定位研究网络规划》。1998 年又增补了新疆天山站和福建武夷山站，2000 年增补了河南宝天曼站和贵州喀斯特站，至此中国森林生态系统网络的覆盖面基本完整，具备了由北向南以热量驱动和由东向西以水分驱动的生态梯度十字网。

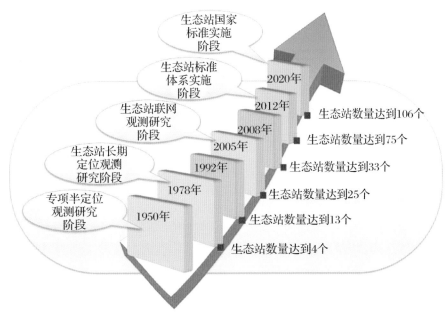

图 1-1　CFERN 发展历程

目前，中国森林生态系统研究网络具备了良好的发展环境和机遇，初步形成了沿不同气候带分布的合理布局，从热带雨林区的尖峰岭生态站到寒温带针叶林区的大兴安岭生态站是一条热量梯度变化的研究样带；从东部森林区的武夷山生态站到新疆干旱荒漠区的天山生态站是一条水分梯度变化的研究样带，包括了从寒温带到热带、湿润地区到极端干旱地区的最为完整和连续的植被和土壤地带系列，是最典型的受热量和水分驱动的纬度、经度地带系统，基本反映了温度和水分驱动的森林植被梯度变化规律。网络南北两端和东西两端主要站点直线距离超过 3700 公里，与国家生态环境建设的决策尺度相适应，能够监测长江、黄河、雅鲁藏布江、松花江(嫩江)等流域森林生态系统的变化和效益，分析森林在我国生态文明建设中的地位和作用。

截至 2020 年年底，CFERN 囊括了 106 个森林生态站(附录 1)，为目前全球范围内单一生态系统类型国家尺度最大的生态观测网络。其中，大岗山森林生态站、帽儿山森林生态站、大兴安岭森林生态站、吉县森林生态站、秦岭森林生态站、会同森林生态站、林芝森林生态站、尖峰岭森林生态站和宝天曼森林生态站、小浪底森林生态站 10 个森林生态站入选国家级野外台站序列。

第三节　规划布局

一、布局原则

森林生态站网络布局在"典型抽样"思想指导下完成，依据待布局区域的气候和森林生态系统特点，结合森林生态系统长期生态学布局特点和布局体系原则，根据观测要求，选择在典型的、具有代表性的区域布设森林生态系统国家定位观测研究站(以下简称森林生态站)，完成森林生态站网络布局。本期规划重点开展服务于我国林业生态建设工程生态效益监测评估的林业生态工程监测站(以下简称生态工程监测站)的布局，与森林生态站相比，生态工程监测站只开展林业生态建设工程的森林资源数量、森林资源质量和生态效益的长期监测，相关研究工作由各林业生态建设工程技术依托单位负责。

森林生态站和生态工程监测站的建设、运行、管理和数据收集等工作均严格遵循国家标准《森林生态系统长期定位观测研究站建设规范》（GB/T 40053—2021）和《森林生态系统长期定位观测指标体系》（GB/T 35377—2017）、《森林生态系统长期定位观测方法》（GB/T 33027—2016）、《森林生态系统服务功能评估规范》（GB/T 38582—2020）。

森林生态站网络布局体系是森林生态系统长期定位研究的基础，森林生态站之间客观存在的内在联系，体现了森林生态站之间相互补充、相互依存、相互衔接的关系和构建网络的必要性。基于上述特点，合理布局的多个森林生态站构成森林生态站网络。因此，在构建森林生态站网络布局时应遵循以下原则：

（1）覆盖全部林分类型和全国森林资源管理"一张图"布局。依据综合自然区划，兼顾省级行政单元布局。根据《中国森林分区》（图1-2）、《中国生态地理区域系统研究》的"中国生态地理区域划分"（图1-3）、《中国综合自然区划》为主线划分生态单元，再结合全国森林资源管理"一张图"中每个省份的森林类型，在以上区域布设森林生态站。为了使森林生态连清

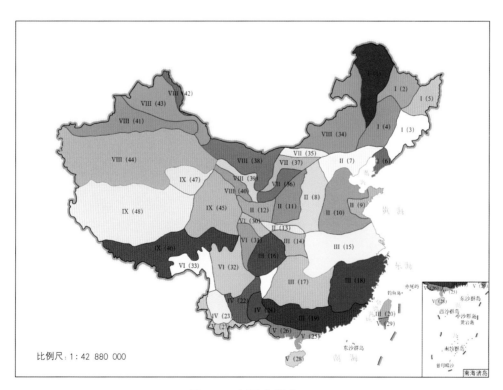

图 1-2 中国森林分区

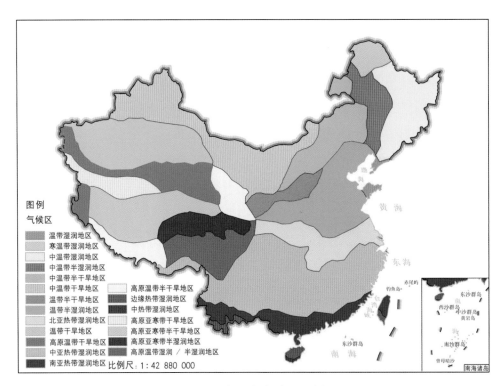

图 1-3　中国生态地理区划

数据与森林资源连清数据相耦合，需要在全国范围内主要森林类型和典型区域布设相应的森林生态站。

（2）依据林业生态建设工程生态效益监测布局。森林生态站网络规划与建设应服务于国家重大工程建设，其布局应与重大的生态建设工程紧密结合。森林生态站网络布局应重点考虑林业生态建设工程[三北防护林体系建设工程、退耕还林（草）工程、天保工程、沿海防护林体系建设工程]、国家公园体制试点区（图 1-4）和国家级公益林体系建设典型代表地区，依据我国各林业生态建设工程实施范围进行生态效益监测与评估区划布局，确保各林业生态建设工程实施范围内均建设有布局合理的生态工程监测站。

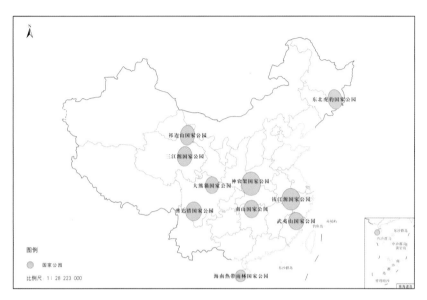

图 1-4 国家公园体制试点区分布

（3）关注生态功能区布局。将各林业生态建设工程管理部门的布局需求与重点生态功能区（图 1-5）、生物多样性保护优先区和国家生态屏障区进行优化配置，采用自上而下的演绎途径与自下而上的归纳途径相结合的方法，从而确定生态工程监测站的布设范围，保证每个生态功能区内均布设有生态工程监测站，完成森林生态站网络布局。

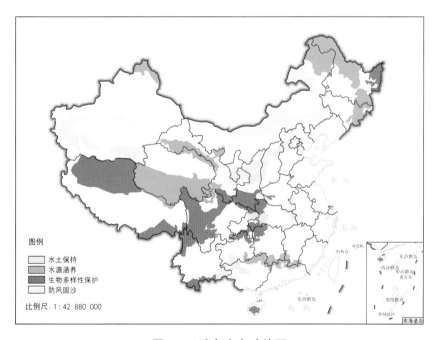

图 1-5 重点生态功能区

二、布局现状

目前，截至 2020 年年底，CFERN 囊括了 106 个森林生态站，分别为：①东北温带针叶林及针阔叶混交林地区森林生态站数量达到 16 个；②华北暖温带落叶阔叶林及油松侧柏林地区森林生态站数量达到 21 个；③华东中南亚热带常绿阔叶林及马尾松杉木竹林地区森林生态站数量达到 36 个；④云贵高原亚热带常绿阔叶林及云南松林地区森林生态站数量达到 3 个；⑤华南热带季雨林雨林地区森林生态站数量达到 7 个；⑥西南高山峡谷针叶林地区森林生态站数量达到 4 个；⑦内蒙古东部森林草原及草原地区森林生态站数量达到 9 个；⑧蒙新荒漠半荒漠及山地针叶林地区森林生态站数量达到 8 个；⑨青藏高原草原草甸及寒漠地区森林生态站数量达到 2 个。

第四节 森林生态连清技术体系

森林生态系统服务连续观测与清查技术（简称森林生态连清）是以生态地理区划为单位，以国家现有森林生态站为依托，采用长期定位观测技术和分布式测算方法，定期对同一森林生态系统进行重复观测与清查的技术，它可以配合国家森林资源连续清查，形成国家森林资源清查综合查新体系，用以评价一定时期内森林生态系统的质量状况，进一步了解森林生态系统的动态变化（图 1-6）。

本报告所采用的监测评估方法为中国森林生态系统服务连续观测与清查技术，依托国家现有森林生态系统国家定位观测研究站（简称森林生态站）和国内的其他林业生态工程生态效益监测点，如：退耕还林工程生态效益监测点、天然林资源保护工程（简称天保工程）生态效益监测点、生态公益林效益监测点和长期固定实验点等，采用长期定位观测技术和分布式测算方法，定期对中国森林生态系统服务进行全指标体系观测与清查，并与国家森林资源连清数据相耦合，评估一定时期和范围内的森林生态系统服务功能，进一步了解我国森林生态系统服务功能的动态变化。

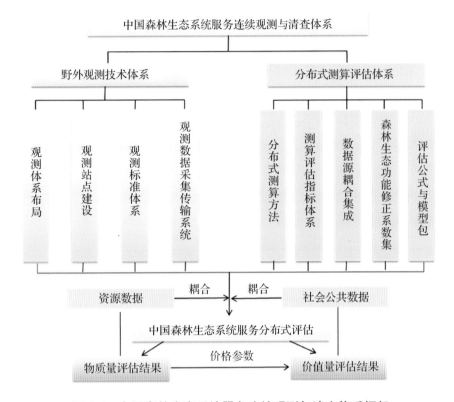

图 1-6 中国森林生态系统服务连续观测与清查体系框架

生态系统服务是指生态系统中可以直接或间接地为人类提供的各种惠益，生态系统服务建立在生态系统功能的基础上。

生态系统服务功能是指生态系统的自然过程和组分直接或间接地提供产品和服务的能力，包括生态系统服务功能和非生态系统服务功能。

一、野外观测技术体系

(一)中国森林生态系统服务监测站布局与建设

野外观测技术体系是构建森林生态连清体系的重要基础，为了做好这一基础工作，需要考虑如何构架观测体系布局。森林生态站与各类林业监测点作为中国森林生态系统服务监测的两大平台，在建设时坚持"统一规划、统一布局、统一建设、统一规范、统一标准、资源整合、数据共享"原则(Angel U，2004)。

森林生态系统服务监测站的建设首先要考虑其在区域上的代表性，选择能代表该区域主要林分类型，且能表征土壤、水文及生境等特征，交通、水电等条件相对便利的典型植被区域。为此，本报告起草团队和我国林业相关部门进行了大量的前期工作，包括科学规划、站点设置、合理性评估等。

森林生态站是通过在典型森林地段建立长期观测点与观测样地，对森林生态系统的组成、结构、生物生产力、养分循环、水循环和能量利用等在自然状态下或某些人为活动干扰下的动态变化格局与过程进行长期观测，阐明生态系统发生、发展、演替的内在机制和自身的动态平衡，以及参与生物地球化学循环过程等的长期定位观测。它能够长期、系统、全面地观测森林生态系统的水、土、气、生因子的动态变化规律。最早的长期定位观测始于 1843 年的英国洛桑试验站（Rothamsted）。随着全球生态环境问题的日益严重，为解决人类所面临的资源、环境和生态系统方面的问题，国际上相继建立了一系列国家、区域和全球性的长期监测、研究网络，主要集中在欧洲、苏联、美国、日本、印度等国家，其中最著名的有国际长期生态研究网络（ILTER）、美国的长期生态学研究网络（USLTER）、英国的环境变化研究网络（ECN）、东南亚农业生态系统网络（SUAN）等。在长期定位观测研究中，也包括了许多生态系统服务指标的观测，为建立森林生态系统服务功能评估方法体系打下了坚实的基础。

在国家尺度上的森林生态站布局建设方面，中国拥有了世界上数量相对较多、空间布局完善、标准化程度高的观测网络。2008 年，国家林业局正式发布了《陆地生态系统定位观测研究网络中长期发展规划（2008—2020 年）》。目前，国家林业和草原局已批准建设森林生态站达 106 个，基本形成了由南向北以热量驱动、由东向西以水分驱动的森林生态系统监测网络（图 1-7）。

全国范围内开展森林生态系统长期定位观测是以国家标准《森林生态系统长期定位观测研究站建设规范》（GB/T 40053—2021）、《森林生态系统长期定位观测指标体系》（GB/T 35377—2017）、《森林生态系统长期定位观测方法》（GB/T 33027—2016）、《森林生态系统服务功能评估规范》（GB/T 38582—2020）以及系列行业标准为基础对全国森林生态系统服务进行评估。为了更好地反映中国不同温度带、水分区划下各种森林生态系统的特点，需要在国家尺度上对森林生态系统长期定位观测网络进行布局。以典型抽样的思想为指导，将全国划分为相对均质的区域，结合已建设森林生

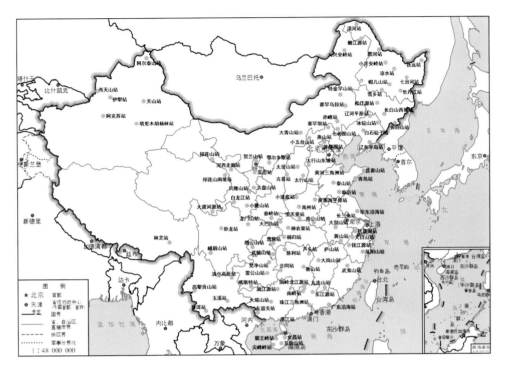

图 1-7　中国森林生态系统定位观测研究网络

态站，综合考虑生态功能区划，完成中国森林生态系统长期定位观测网络布局。通过森林生态系统长期定位观测网络获取森林生态系统长期定位观测数据，能够反映气候和人为活动条件下的环境变化及响应机制，可以用于对森林生态效益进行评估。通过对比分析已有中国典型生态地理区划，选择中国生态地理区域系统的气候指标、中国森林分区（1998）作为植被指标和生态功能区划指标，采用分层抽样、空间叠置分析方法结合标准化合并指数等方法对上述指标进行处理，完成全国森林生态系统的相对均质区域，同时结合生态功能区构建中国森林生态系统长期定位观测网络。

（二）森林生态系统服务功能监测评估标准体系

中国森林生态系统服务功能监测评估所依据的标准体系如图 1-8 所示，包含了从森林生态系统服务监测站点建设到观测指标、观测方法、数据管理乃至数据应用各个阶段的标准。森林生态系统服务监测站点建设、观测指标、观测方法、数据管理及数据应用的标准化保证了不同监测站点所提供的森林生态连清数据的准确性和可比性，为我国森林生态系统服务评估的顺利进行提供了保障（王兵，2012）。

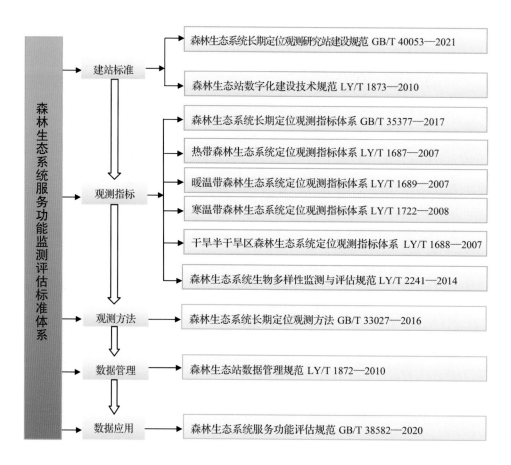

图1-8 中国森林生态系统服务功能监测评估标准体系

二、分布式测算评估体系

(一)分布式测算方法

分布式测算源于计算机科学,是研究如何把一项整体复杂的问题分割成相对独立的运算单元,并将这些单元分配给多个计算机进行处理,最后将计算结果综合起来,统一合并得出结论的一种科学计算方法(Niu et al.,2014)。分布式测算方法已经被用于使用世界各地成千上万位志愿者的计算机的闲置计算能力,来解决复杂的数学问题(如 GIMPS 搜索梅森素数的分布式网络计算)和研究寻找最为安全的密码系统(如 RC4)等,这些项目都很庞大,需要惊人的计算量,而分布式测算研究如何把一个需要非常巨大计算能力才能解决的问题分成许多小块,然后将这些小块分配给许多计算机处理,最后把这些计算结果综合起来得到最终的结果。随着科学的发展，分布式测算是一种廉价的、高效的、维护方便的计算方法。

本报告所采用的分布式测算方法将森林生态功能评估分为四级测算单元。其步骤：①将我国的 31 个省(自治区、直辖市)划分为一级测算单元(第一次全国森林资源清查期间，海南省属于广东省；第一次至第五次森林资源清查期间，重庆市属于四川省，运算时设定为 0)；②将 49 个林分类型划分为二级测算单元；③林分起源(人工林和天然林)划分为三级测算单元；④将幼龄林、中龄林、近熟林、成熟林和过熟林 5 个林龄级划分为四级测算单元。最后，确定了相对均质化的生态效益评估单元 15190 个(图 1-9)。

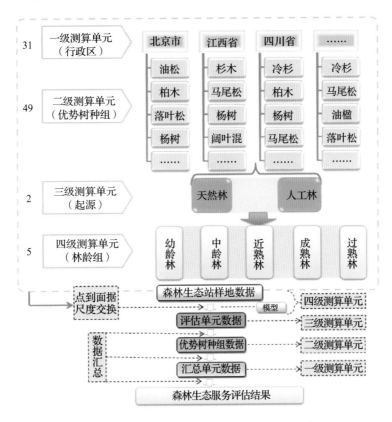

图 1-9　中国森林生态服务功能评估分布式测算方法

基于生态系统尺度的定位实测数据，运用遥感反演、模型模拟等技术手段，进行由点到面的数据尺度转换，将点上实测数据转换至面上测算数据，得到各生态系统服务评估单元的测算数据；以上均质化的单元数据累加的结果即为中国森林生态系统服务功能评估结果(王兵，2004)。

(二)评估指标体系

森林是地球陆地生态系统的主体，其生态服务体现于生态系统和生态过程所形成的有利于人类生存与发展的生态环境条件与效用（ANGELIS，2000）。如何真实地反映森林生态系统服务功能的效果，观测评估指标体系的建立非常重要。第七次全国森林资源数据核算主要依据林业行业标准《森林生态系统服务功能评估规范》（LY/T 1721—2008），又陆续完成了河南、广西、福建、广东、辽宁、吉林、黑龙江、山西、安徽等省份以及贵州省黔东南州、大连市、吉林省露水河林业局、陕西省关中地区等地市林业局的森林生态系统服务功能评估。在满足代表性、全面性、简明性、可操作性以及适应性等原则的基础上，通过总结近年的工作及研究经验，起草并发布了国家标准《森林生态系统服务功能评估规范》（GB/T 38582—2020），该标准进一步完善了评估指标体系（图 1-10）。

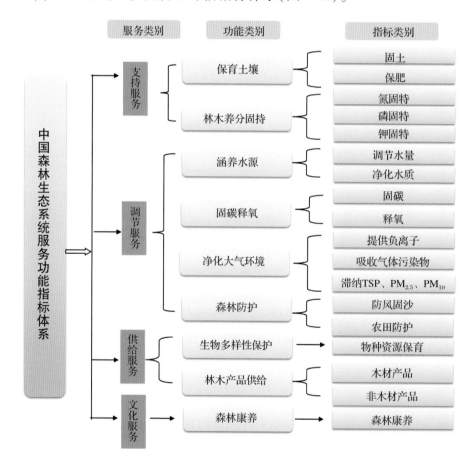

图 1-10　中国森林生态服务功能评估指标体系

（三）数据来源与集成

本报告采用的数据主要有三个来源（图 1-11）：

图 1-11　中国森林生态服务功能评估数据来源

1. 森林资源连续清查数据集

森林资源数据集来源于国家林业和草原局森林资源管理司通过各种资料发布的九次森林资源连续清查的数据，如：第一次到第九次森林资源清查数据来源于《全国森林资源统计（1973—2018）》。同时，森林类型划分的依据为国家标准《森林资源连续清查技术规程》（GB/T 38590—2020）。因为其来源较广，且数据类型多样化程度高，对于分析我国森林资源的动态变化具有重要的价值，所以其属于大数据范畴。

2. 森林生态连清数据集

森林生态连清数据来源于森林生态站，以及辅助观测点和长期固定样地的观测数据。目前的森林生态监测涉及全国 106 个森林生态站，600 个辅助观测点，长期固定样地有 10000 多块，还有用于林地土壤侵蚀指标的观测、不同侵蚀强度的林地土壤侵蚀模数观测等样地。由于在 CFERN 发展前期，森林生态站点数量较少，会存在生态数据缺失的情况。当这种情况出现时，则基于生态功能修正系数，采用临近（时间临近和空间临近）森林生态站的观测数据进行补充（王兵，2013）。

3. 社会公共数据集

社会公共数据来源于我国权威机构所公布的社会公共数据，包括《中

国水利年鉴》《中华人民共和国水利部水利建筑工程预算定额》、中国农业
信息网(http：//www.agri.gov.cn/)、中华人民共和国国家卫生健康委员
会(http：//wsb.moh.gov.cn/)、《中华人民共和国环境保护税法》中的"环
境保护税税目税额表"等。

生态系统服务功能评估是指采用森林生态系统长期连续定位观测数
据、森林资源清查数据及社会公共数据对森林生态系统服务功能开展的
实物量与价值量评估。

物质量评估主要是对生态系统提供服务的物质数量进行评估，即根
据不同区域、不同生态系统的结构、功能和过程，从生态系统服务功能
机制出发，利用适宜的定量方法确定生态系统服务功能的质量、数量。
物质量评估的特点是评价结果比较直观，能够比较客观地反映生态系统
的过程，进而反映生态系统的可持续性。

价值量评估主要是利用一些经济方法对生态系统提供的服务进行评
价。价值量评估的特点是评价结果用货币量体现，既能将不同生态系统
的同一项生态系统服务进行比较，也能将某一生态系统的各单项服务综
合起来。运用价值量评价方法得出的货币结果能引起人们对区域生态系
统服务足够的重视。

将上述 3 类数据源有机地耦合集成，应用于一系列的评估公式中，最
终获得中国森林生态系统服务功能评估结果。

(四)森林生态功能修正系数

在野外数据观测中，研究人员仅能够得到观测站点附近的实测生态数
据，对于无法实地观测到的数据，则需要一种方法对已经获得的参数进行
修正，因此引入了森林生态功能修正系数(Forest Ecological Function Cor-
rection Coefficient，简称 FEF-CC)。FEF-CC 指评估林分生物量和实测林分
生物量的比值，它反映森林生态服务评估区域森林的生态质量状况，还可
以通过森林生态功能的变化修正森林生态服务的变化。

森林生态系统服务价值的合理测算对绿色国民经济核算具有重要意
义，社会进步程度、经济发展水平、森林资源质量等对森林生态系统服务
均会产生一定影响，而森林自身结构和功能状况则是体现森林生态系统服

务可持续发展的基本前提。"修正"作为一种状态，表明系统各要素之间具有相对"融洽"的关系。当用现有的野外实测值不能代表同一生态单元同一目标优势树种(组)的结构或功能时，就需要采用森林生态功能修正系数客观地从生态学精度的角度反映同一优势树种(组)在同一区域的真实差异。其理论公式如下：

$$\text{FEF-CC} = \frac{B_e}{B_o} = \frac{\text{BEF} \cdot V}{B_o} \tag{1-1}$$

式中：FEF-CC——森林生态功能修正系数；

　　　B_e——评估林分的单位面积生物量(千克/立方米)；

　　　B_o——实测林分的单位面积生物量(千克/立方米)；

　　　BEF——蓄积量与生物量的转换因子；

　　　V——评估林分蓄积量(立方米)。

实测林分的生物量可以通过森林生态连清的实测手段来获取，通过评估林分蓄积量和生物量转换因子(BEF)，测算评估林分的生物量。

(五)贴现率

森林生态系统服务价值量评估中，由物质量转价值量时，部分价格参数并非评估年价格参数，因此，需要使用贴现率(Discount Rate)将非评估年份价格参数换算为评估年份价格参数以计算各项功能价值量的现价。

森林生态服务功能价值量评估中所使用的贴现率指将未来现金收益折合成现在收益的比率，贴现率是一种存贷均衡利率，利率大小，主要根据金融市场利率来决定，其计算公式如下：

$$t = (D_r + L_r)/2 \tag{1-2}$$

式中：t——存贷款均衡利率(%)；

　　　D_r——银行的平均存款利率(%)；

　　　L_r——银行的平均贷款利率(%)。

贴现率利用存贷款均衡利率，将非评估年份价格参数，逐年贴现至评估年的价格参数。贴现率的计算公式如下：

$$d = (1 + t_n)(1 + t_{n+1})\cdots(1 + t_m) \tag{1-3}$$

式中：d——贴现率；

　　　t——存贷款均衡利率(%)；

　　　n——价格参数可获得年份(年)；

m——评估年份(年)。

(六)评估公式与模型包

1. 保育土壤功能

森林凭借庞大的树冠、深厚的枯枝落叶层及强壮且成网络的根系截留大气降水,减少或免遭雨滴对土壤表层的直接冲击,有效地固持土体,降低了地表径流对土壤的冲蚀,使土壤流失量大大降低。而且森林的生长发育及其代谢产物不断对土壤产生物理及化学影响,参与土体内部的能量转换与物质循环,使土壤肥力提高,森林凋落物是土壤养分的主要来源之一。为此,本研究选用 2 个指标,即固土指标和保肥指标,以反映森林保育土壤功能。

(1)固土指标。因为森林的固土功能是从地表土壤侵蚀程度表现出来的,所以可通过无林地土壤侵蚀程度和有林地土壤侵蚀程度之差来估算森林的固土量。该评估方法是目前国内外多数人使用并认可的。

① 年固土量。林分年固土量公式如下:

$$G_{固土} = A \cdot (X_2 - X_1) \cdot F \qquad (1-4)$$

式中:$G_{固土}$——实测林分年固土量(吨/年);

$\quad X_1$——有林地土壤侵蚀模数[吨/(公顷·年)];

$\quad X_2$——无林地土壤侵蚀模数[吨/(公顷·年)];

$\quad A$——林分面积(公顷);

$\quad F$——森林生态功能修正系数。

② 年固土价值。由于土壤侵蚀流失的泥沙淤积于水库中,减少了水库蓄积水的体积,因此本研究根据蓄水成本(替代工程法)计算林分年固土价值,公式如下:

$$U_{固土} = A \cdot C_土 (X_2 - X_1) \cdot F \cdot d/\rho \qquad (1-5)$$

式中:$U_{固土}$——实测林分年固土价值(元/年);

$\quad X_1$——有林地土壤侵蚀模数[吨/(公顷·年)];

$\quad X_2$——无林地土壤侵蚀模数[吨/(公顷·年)];

$\quad C_土$——挖取和运输单位体积土方所需费用(元/立方米);

$\quad \rho$——土壤容重(克/立方厘米);

$\quad A$——林分面积(公顷);

$\quad F$——森林生态功能修正系数;

d——贴现率。

（2）保肥指标。林木的根系可以改善土壤结构、孔隙度和通透性等物理性状，有助于土壤形成团粒结构。在养分循环过程中，枯枝落叶层不仅减小了降水的冲刷和径流，而且还是森林生态系统归还的主要途径，可以增加土壤有机质、营养物质（氮、磷、钾等）和土壤碳库的积累，提高土壤肥力，起到保肥的作用。土壤侵蚀带走大量的土壤营养物质，根据氮、磷、钾等养分含量和森林减少的土壤损失量，可以估算出森林每年减少的养分流失量。因土壤侵蚀造成了氮、磷、钾大量流失，使土壤肥力下降，通过计算年固土量中氮、磷、钾的数量，再换算为化肥价格即为森林年保肥价值。

① 年保肥量。林分年保肥量计算公式：

$$G_{氮} = A \cdot N \cdot (X_2 - X_1) \cdot F \tag{1-6}$$

$$G_{磷} = A \cdot P \cdot (X_2 - X_1) \cdot F \tag{1-7}$$

$$G_{钾} = A \cdot K \cdot (X_2 - X_1) \cdot F \tag{1-8}$$

$$G_{有机质} = A \cdot M \cdot (X_2 - X_1) \cdot F \tag{1-9}$$

式中：$G_{氮}$——森林固持土壤而减少的氮流失量（吨/年）；

$\quad G_{磷}$——森林固持土壤而减少的磷流失量（吨/年）；

$\quad G_{钾}$——森林固持土壤而减少的钾流失量（吨/年）；

$\quad G_{有机质}$——森林固持土壤而减少的有机质流失量（吨/年）；

$\quad X_1$——有林地土壤侵蚀模数［吨/（公顷·年）］；

$\quad X_2$——无林地土壤侵蚀模数［吨/（公顷·年）］；

$\quad N$——森林土壤平均含氮量（%）；

$\quad P$——森林土壤平均含磷量（%）；

$\quad K$——森林土壤平均含钾量（%）；

$\quad M$——森林土壤平均有机质含量（%）；

$\quad A$——林分面积（公顷）；

$\quad F$——森林生态功能修正系数。

②年保肥价值。年固土量中氮、磷、钾的数量换算成化肥即为林分年保肥价值。本研究的林分年保肥价值以固土量中的氮、磷、钾数量折合成磷酸二铵化肥和氯化钾化肥的价值来体现。公式如下：

$$U_{肥} = A \cdot (X_2 - X_1) \cdot \left(\frac{N \cdot C_1}{R_1} + \frac{P \cdot C_1}{R_2} + \frac{K \cdot C_2}{R_3} + M \cdot C_3 \right) \cdot F \cdot d$$

$$\tag{1-10}$$

式中：$U_肥$——实测林分年保肥价值（元/年）；

$\quad\quad\quad X_1$——有林地土壤侵蚀模数［吨/（公顷·年）］；

$\quad\quad\quad X_2$——无林地土壤侵蚀模数［吨/（公顷·年）］；

$\quad\quad\quad N$——森林土壤平均含氮量（%）；

$\quad\quad\quad P$——森林土壤平均含磷量（%）；

$\quad\quad\quad K$——森林土壤平均含钾量（%）；

$\quad\quad\quad M$——森林土壤平均有机质含量（%）；

$\quad\quad\quad R_1$——磷酸二铵化肥含氮量（%）；

$\quad\quad\quad R_2$——磷酸二铵化肥含磷量（%）；

$\quad\quad\quad R_3$——氯化铵化肥含钾量（%）；

$\quad\quad\quad C_1$——磷酸二铵化肥价格（元/吨）；

$\quad\quad\quad C_2$——氯化钾化肥价格（元/吨）；

$\quad\quad\quad C_3$——有机质价格（元/吨）；

$\quad\quad\quad A$——林分面积（公顷）；

$\quad\quad\quad F$——森林生态功能修正系数；

$\quad\quad\quad d$——贴现率。

2. 林木养分固持功能

森林植被不断从周围环境吸收营养物质固定在植物体中，成为全球生物化学循环不可缺少的环节。本研究选用林木固持氮、磷、钾指标来反映林木养分固持功能。

（1）林木年养分固持量。公式如下：

$$G_氮 = A \cdot N_{营养} \cdot B_年 \cdot F \quad\quad\quad (1\text{-}11)$$

$$G_磷 = A \cdot P_{营养} \cdot B_年 \cdot F \quad\quad\quad (1\text{-}12)$$

$$G_钾 = A \cdot K_{营养} \cdot B_年 \cdot F \quad\quad\quad (1\text{-}13)$$

式中：$G_氮$——植被氮固持量（吨/年）；

$\quad\quad\quad G_磷$——植被磷固持量（吨/年）；

$\quad\quad\quad G_钾$——植被钾固持量（吨/年）；

$\quad\quad\quad N_{营养}$——林木氮元素含量（%）；

$\quad\quad\quad P_{营养}$——林木磷元素含量（%）；

$\quad\quad\quad K_{营养}$——林木钾元素含量（%）；

$\quad\quad\quad B_年$——实测林分年净生产力［吨/（公顷·年）］；

A——林分面积(公顷);

F——森林生态功能修正系数。

(2)林木年养分固持价值。采取把营养物质折合成磷酸二铵化肥和氯化钾化肥方法计算林木营养积累价值,计算公式如下:

$$U_{营养} = A \cdot B \cdot \left(\frac{N_{营养} \cdot C_1}{R_1} + \frac{P_{营养} \cdot C_1}{R_2} + \frac{K_{营养} \cdot C_2}{R_3} \right) \cdot F \cdot d \quad (1-14)$$

式中:$U_{氮}$——实测林分氮、磷、钾增加价值(元/年);

$N_{营养}$——实测林木氮元素含量(%);

$P_{营养}$——实测林木磷元素含量(%);

$K_{营养}$——实测林木钾元素含量(%);

R_1——磷酸二铵含氮量(%);

R_2——磷酸二铵含磷量(%);

R_3——氯化钾含钾量(%);

C_1——磷酸二铵化肥价格(元/吨);

C_2——氯化钾化肥价格(元/吨);

B——实测林分年净生产力[吨/(公顷·年)];

A——林分面积(公顷);

F——森林生态功能修正系数;

d——贴现率。

3. 涵养水源功能

森林涵养水源功能主要是指森林对降水的截留、吸收和贮存,将地表水转为地表径流或地下水的作用。本研究选定调节水量指标和净化水质2个指标,以反映森林的涵养水源功能。

(1)调节水量指标。

① 年调节水量。森林生态系统年调节水量公式如下:

$$G_{调} = 10A \cdot (P - E - C) \cdot F \quad (1-15)$$

式中:$G_{调}$——实测林分年调节水量(立方米/年);

P——实测林外降水量(毫米/年);

E——实测林分蒸散量(毫米/年);

C——实测地表快速径流量(毫米/年);

A——林分面积(公顷);

F——森林生态功能修正系数。

② 年调节水量价值。由于森林对水量主要起调节作用，与水库的功能相似。因此，本研究中森林生态系统调节水量价值依据水库工程的蓄水成本(替代工程法)来确定，采用如下公式计算：

$$U_{调} = 10C_库 \cdot A \cdot (P - E - C) \cdot F \cdot d \qquad (1\text{-}16)$$

式中：$U_{调}$——实测林分年调节水量价值(元/年)；

$\qquad C_库$——水资源市场交易价值(元/立方米)；

$\qquad P$——实测林外降水量(毫米/年)；

$\qquad E$——实测林分蒸散量(毫米/年)；

$\qquad C$——实测地表快速径流量(毫米/年)；

$\qquad A$——林分面积(公顷)；

$\qquad F$——森林生态功能修正系数；

$\qquad d$——贴现率。

(2)净化水质指标。

① 年净化水量。净化水质包括净化水量和净化水质价值两个方面。本研究采用年调节水量的公式：

$$G_净 = 10A \cdot (P - E - C) \cdot F \qquad (1\text{-}17)$$

式中：$G_净$——实测林分年净化水量(立方米/年)；

$\qquad P$——实测林外降水量(毫米/年)；

$\qquad E$——实测林分蒸散量(毫米/年)；

$\qquad C$——实测地表快速径流量(毫米/年)；

$\qquad A$——林分面积(公顷)；

$\qquad F$——森林生态功能修正系数。

② 净化水质价值。采用如下公式计算：

$$U_{水质} = 10K_水 \cdot A \cdot (P - E - C) \cdot F \cdot d \qquad (1\text{-}18)$$

式中：$U_{水质}$——实测林分净化水质价值(元/年)；

$\qquad K_水$——水污染物应纳税额(元/立方米)；

$\qquad P$——实测林外降水量(毫米/年)；

$\qquad E$——实测林分蒸散量(毫米/年)；

$\qquad C$——实测地表快速径流量(毫米/年)；

$\qquad A$——林分面积(公顷)；

F——森林生态功能修正系数；

d——贴现率。

$$K_水 = (\rho_{大气降水} - \rho_{径流})/N_水 \cdot K \qquad (1\text{-}19)$$

式中：$\rho_{大气降水}$——大气降水中某一水污染物浓度（毫克/升）；

$\rho_{径流}$——森林地下径流中某一水污染物浓度（毫克/升）；

$N_水$——水污染物污染当量值；

K——税额。

4. 固碳释氧功能

森林与大气的物质交换主要是二氧化碳与氧气的交换，即森林固定并减少大气中的二氧化碳和提高并增加大气中的氧气，这对维持大气中的二氧化碳和氧气动态平衡、减少温室效应以及为人类提供生存的基础都有巨大和不可替代的作用。为此，本研究选用固碳、释氧 2 个指标反映森林生态系统固碳释氧功能。根据光合作用化学反应式，森林植被每积累 1.00 克干物质，可以吸收（固定）1.63 克二氧化碳，释放 1.19 克氧气。本研究通过森林的固碳（植被固碳和土壤固碳）功能和释氧功能 2 个指标计量固碳释氧物质量。

（1）固碳指标。根据光合作用和呼吸作用方程式确定森林每年生产 1 吨干物质固定吸收二氧化碳的量，再根据树种的年净初级生产力计算出森林每年固定二氧化碳的总量。

① 植被和土壤年固碳量。公式如下：

$$G_碳 = A \cdot (1.63R_碳 \cdot B_年 + F_{土壤碳}) \cdot F \qquad (1\text{-}20)$$

式中：$G_碳$——实测年固碳量（吨/年）；

$B_年$——实测林分年净生产力[吨/（公顷·年）]；

$F_{土壤碳}$——单位面积林分土壤年固碳量[吨/（公顷·年）]；

$R_碳$——二氧化碳中碳的含量，为 27.27%；

A——林分面积（公顷）；

F——森林生态功能修正系数。

公式计算得出森林的潜在年固碳量，再从其中减去由于森林年采伐造成的生物量移出从而损失的碳量，即为森林的实际年固碳量。

② 年固碳价值。林分植被和土壤年固碳价值的计算公式如下：

$$U_碳 = A \cdot C_碳 \cdot (1.63R_碳 \cdot B_年 + F_{土壤碳}) F \cdot d \qquad (1\text{-}21)$$

式中：$U_{碳}$——实测林分年固碳价值(元/年)；

　　　$B_{年}$——实测林分年净生产力[吨/(公顷·年)]；

　　　$F_{土壤碳}$——单位面积林分土壤年固碳量[吨/(公顷·年)]；

　　　$C_{碳}$——固碳价格(元/吨)；

　　　$R_{碳}$——二氧化碳中碳的含量，为27.27%；

　　　A——林分面积(公顷)；

　　　F——森林生态功能修正系数；

　　　d——贴现率。

公式得出森林的潜在年固碳价值，再从其中减去由于森林年采伐消耗量造成的碳损失，即为森林的实际年固碳价值。

(2) 释氧指标。

① 年释氧量。公式如下：

$$G_{氧气} = 1.19A \cdot B_{年} \cdot F \tag{1-22}$$

式中：$G_{氧气}$——实测林分年释氧量(吨/年)；

　　　$B_{年}$——实测林分年净生产力[吨/(公顷·年)]；

　　　A——林分面积(公顷)；

　　　F——森林生态功能修正系数。

② 年释氧价值。公式如下：

$$U_{氧} = 1.19C_{氧} A \cdot B_{年} \cdot F \cdot d \tag{1-23}$$

式中：$U_{氧}$——实测林分年释氧价值(元/年)；

　　　$B_{年}$——实测林分年净生产力[吨/(公顷·年)]；

　　　$C_{氧}$——制造氧气的价格(元/吨)；

　　　A——林分面积(公顷)；

　　　F——森林生态功能修正系数；

　　　d——贴现率。

5. 净化大气环境功能

近年雾霾天气频繁、大范围的出现，使空气质量状况成为民众和政府部门的关注焦点，大气颗粒物(如 PM_{10}、$PM_{2.5}$)被认为是造成雾霾天气的罪魁出现在人们的视野中。如何控制大气污染、改善空气质量成为科学研究的热点。

森林能有效吸收有害气体、吸滞粉尘、降低噪音、提供负离子等，从而起到净化大气作用。为此，本研究选取提供负离子、吸收气体污染物（二氧化硫、氟化物和氮氧化物）、滞尘、滞纳 PM_{10} 和 $PM_{2.5}$ 7 个指标反映森林净化大气环境能力，由于降低噪音指标计算方法尚不成熟，所以本研究中不涉及降低噪音指标。

（1）提供负离子指标。

① 年提供负离子量。公式如下：

$$G_{负离子} = 5.256 \times 10^{15} \cdot Q_{负离子} \cdot A \cdot H \cdot F / L \qquad (1\text{-}24)$$

式中：$G_{负离子}$——实测林分年提供负离子个数（个/年）；

$\quad\quad Q_{负离子}$——实测林分负离子浓度（个/立方厘米）；

$\quad\quad H$——林分高度（米）；

$\quad\quad L$——负离子寿命（分钟）；

$\quad\quad A$——林分面积（公顷）；

$\quad\quad F$——森林生态功能修正系数。

② 年提供负离子价值。国内外研究证明，当空气中负离子达到 600 个/立方厘米以上时，才能有益人体健康，所以林分年提供负离子价值采用如下公式计算：

$$U_{负离子} = 5.256 \times 10^{15} \cdot A \cdot H \cdot K_{负离子}(Q_{负离子} - 600) \cdot F \cdot d / L \quad (1\text{-}25)$$

式中：$U_{负离子}$——实测林分年提供负离子价值（元/年）；

$\quad\quad K_{负离子}$——负离子生产费用（元/吨）；

$\quad\quad Q_{负离子}$——实测林分负离子浓度（个/立方厘米）；

$\quad\quad L$——负离子寿命（分钟）；

$\quad\quad H$——林分高度（米）；

$\quad\quad A$——林分面积（公顷）；

$\quad\quad F$——森林生态功能修正系数；

$\quad\quad d$——贴现率。

（2）吸收气体污染物指标。二氧化硫、氟化物和氮氧化物是大气污染物的主要物质。因此，本研究选取森林吸收二氧化硫、氟化物和氮氧化物 3 个指标核算森林吸收气体污染物的能力。森林对二氧化硫、氟化物和氮氧化物的吸收，可使用面积-吸收能力法、阈值法、叶干质量估算法等。本研究采用面积-吸收能力法核算森林吸收气体污染物的总量，采用应税污染物法核算价值量。

① 吸收二氧化硫。

林分年吸收二氧化硫量计算公式：

$$G_{\text{二氧化硫}} = Q_{\text{二氧化硫}} \cdot A \cdot F / 1000 \qquad (1\text{-}26)$$

式中：$G_{\text{二氧化硫}}$——实测林分年吸收二氧化硫量（吨/年）；

$Q_{\text{二氧化硫}}$——单位面积实测林分年吸收二氧化硫量［千克/（公顷·年）］；

A——林分面积（公顷）；

F——森林生态功能修正系数。

林分年吸收二氧化硫价值计算公式：

$$U_{\text{二氧化硫}} = Q_{\text{二氧化硫}} / N_{\text{二氧化硫}} \cdot K \cdot A \cdot F \cdot d \qquad (1\text{-}27)$$

式中：$U_{\text{二氧化硫}}$——实测林分年吸收二氧化硫价值（元/年）；

$Q_{\text{二氧化硫}}$——单位面积实测林分年吸收二氧化硫量［千克/（公顷·年）］；

$N_{\text{二氧化硫}}$——二氧化硫污染当量值（千克）；

K——税额（元）；

A——林分面积（公顷）；

F——森林生态功能修正系数；

d——贴现率。

② 吸收氟化物。

林分年吸收氟化物量计算公式：

$$G_{\text{氟化物}} = Q_{\text{氟化物}} \cdot A \cdot F / 1000 \qquad (1\text{-}28)$$

式中：$G_{\text{氟化物}}$——实测林分年吸收氟化物量（吨/年）；

$Q_{\text{氟化物}}$——单位面积实测林分年吸收氟化物量［千克/（公顷·年）］；

A——林分面积（公顷）；

F——森林生态功能修正系数。

林分年吸收氟化物价值计算公式：

$$U_{\text{氟化物}} = Q_{\text{氟化物}} / N_{\text{氟化物}} \cdot K \cdot A \cdot F \cdot d \qquad (1\text{-}29)$$

式中：$U_{\text{氟化物}}$——实测林分年吸收氟化物价值（元/年）；

$Q_{\text{氟化物}}$——单位面积实测林分年吸收氟化物量［千克/（公顷·年）］；

$N_{\text{氟化物}}$——氟化物污染当量值（千克）；

K——税额（元）；

A——林分面积(公顷)；

F——森林生态功能修正系数；

d——贴现率。

③吸收氮氧化物。

林分氮氧化物年吸收量计算公式如下：

$$G_{氮氧化物} = Q_{氮氧化物} \cdot A \cdot F / 1000 \qquad (1\text{-}30)$$

式中：$G_{氮氧化物}$——实测林分年吸收氮氧化物量(吨/年)；

$Q_{氮氧化物}$——单位面积实测林分年吸收氮氧化物量[千克/(公顷·年)]；

A——林分面积(公顷)；

F——森林生态功能修正系数。

年吸收氮氧化物量价值计算公式如下：

$$U_{氮氧化物} = Q_{氮氧化物} / N_{氮氧化物} \cdot K \cdot A \cdot F \cdot d \qquad (1\text{-}31)$$

式中：$U_{氮氧化物}$——实测林分年吸收氮氧化物价值(元/年)；

$Q_{氮氧化物}$——单位面积实测林分年吸收氮氧化物量[千克/(公顷·年)]；

$N_{氮氧化物}$——氮氧化物污染当量值(千克)；

K——税额(元)；

A——林分面积(公顷)；

F——森林生态功能修正系数；

d——贴现率。

(3)滞尘指标。森林有阻挡、过滤和吸附粉尘的作用，可提高空气质量。因此，滞尘功能是森林生态系统重要的服务功能之一。鉴于近年来人们对PM_{10}和$PM_{2.5}$的关注，本研究在评估总滞尘量及其价值的基础上，将PM_{10}和$PM_{2.5}$从总滞尘量中分离出来进行了单独的物质量和价值量评估。

①年总滞尘量。公式如下：

$$G_{滞尘} = Q_{滞尘} \cdot A \cdot F / 1000 \qquad (1\text{-}32)$$

式中：$G_{滞尘}$——实测林分年滞尘量(吨/年)；

$Q_{滞尘}$——单位面积实测林分年滞尘量[千克/(公顷·年)]；

A——林分面积(公顷)；

F——森林生态功能修正系数。

② 年滞尘价值。本研究中，用应税污染物法计算林分滞纳 PM_{10} 和 $PM_{2.5}$ 的价值。其中，PM_{10} 和 $PM_{2.5}$ 采用炭黑尘(粒径 0.4~1 微米)污染当量值结合应税额度进行核算。林分滞纳其余颗粒物的价值一般性粉尘(粒径 <75 微米)污染当量值结合应税额度进行核算。年滞尘价值计算公式如下：

$$U_{滞尘} = (Q_{滞尘} - Q_{PM_{10}} - Q_{PM_{2.5}}) / N_{一般性粉尘} \cdot K \cdot A \cdot F \cdot d + U_{PM_{10}} + U_{PM_{2.5}}$$

$$(1-33)$$

式中：$U_{滞尘}$——实测林分年滞尘价值(元/年)；

$\quad Q_{滞尘}$——单位面积实测林分年滞尘量[千克/(公顷·年)]；

$\quad Q_{PM_{10}}$——单位面积实测林分年滞纳 PM_{10} 量[千克/(公顷·年)]；

$\quad Q_{PM_{2.5}}$——单位面积实测林分年滞纳 $PM_{2.5}$ 量[千克/(公顷·年)]；

$\quad N_{一般性粉尘}$——一般性粉尘污染当量值；

$\quad K$——税额(元)；

$\quad A$——林分面积(公顷)；

$\quad F$——森林生态功能修正系数。

$\quad U_{PM_{10}}$——林分年滞纳 PM_{10} 价值(元/千克)；

$\quad U_{PM_{2.5}}$——林分年滞纳 $PM_{2.5}$ 价值(元/千克)；

$\quad d$——贴现率。

③ 滞纳 $PM_{2.5}$。

年滞纳 $PM_{2.5}$ 量公式如下：

$$G_{PM_{2.5}} = Q_{PM_{2.5}} \cdot A \cdot n \cdot F \cdot LAI \cdot d \quad (1-34)$$

式中：$G_{PM_{2.5}}$——实测林分年滞纳 $PM_{2.5}$ 量(千克/年)；

$\quad Q_{PM_{2.5}}$——实测林分单位叶面积滞纳 $PM_{2.5}$ 量(克/平方米)；

$\quad A$——林分面积(公顷)；

$\quad F$——森林生态功能修正系数；

$\quad n$——年洗脱次数；

$\quad LAI$——叶面积指数。

年滞纳 $PM_{2.5}$ 价值公式如下：

$$U_{PM_{2.5}} = 10 \cdot Q_{PM_{2.5}} / N_{炭黑尘} \cdot K \cdot A \cdot n \cdot F \cdot LAI \cdot d \quad (1-35)$$

式中：$U_{PM_{2.5}}$——实测林分年滞纳 $PM_{2.5}$ 价值(元/年)；

$\quad Q_{PM_{2.5}}$——实测林分单位叶面积滞纳 $PM_{2.5}$ 量(克/平方米)；

$\quad N_{烟炭黑尘}$——炭黑尘污染当量值(千克)；

K——税额(元);

A——林分面积(公顷);

F——森林生态功能修正系数;

n——年洗脱次数;

LAI——叶面积指数;

d——贴现率。

④ 滞纳 PM_{10}。

年滞纳 PM_{10} 量公式如下:

$$G_{PM_{10}} = 10 \cdot Q_{PM_{10}} \cdot A \cdot n \cdot F \cdot LAI \qquad (1\text{-}36)$$

式中:$G_{PM_{10}}$——实测林分年滞纳 PM_{10} 量(千克/年);

$Q_{PM_{10}}$——实测林分单位叶面积滞纳 PM_{10} 量(克/平方米);

A——林分面积(公顷);

F——森林生态功能修正系数;

n——年洗脱次数;

LAI——叶面积指数。

年滞纳 PM_{10} 价值公式如下:

$$U_{PM_{10}} = 10 \cdot Q_{PM_{10}}/N_{炭黑尘} \cdot K \cdot A \cdot n \cdot F \cdot LAI \cdot d \qquad (1\text{-}37)$$

式中:$U_{PM_{10}}$——实测林分年滞纳 PM_{10} 价值(元/年);

$Q_{PM_{10}}$——实测林分单位叶面积滞纳 PM_{10} 量(克/平方米);

$N_{炭黑尘}$——炭黑尘污染当量值(千克);

K——税额(元);

A——林分面积(公顷);

F——森林生态功能修正系数;

n——年洗脱次数;

LAI——叶面积指数;

d——贴现率。

6. 森林防护功能

植被根系能够固定土壤,改善土壤结构,降低土壤的裸露程度;植被地上部分能够增加地表粗糙程度,降低风速,阻截风沙。地上地下的共同作用能够减弱风的强度和携沙能力,减少因风蚀导致的土壤流失和风沙危害。

（1）防风固沙量。计算公式：

$$G_{防风固沙} = A_{防风固沙} \cdot (Y_2 - Y_1) \cdot F \qquad (1\text{-}38)$$

式中：$G_{防风固沙}$——森林防风固沙物质量（吨/年）；

$\qquad$ Y_1——有林地风蚀模数［吨/（公顷·年）］；

$\qquad$ Y_2——无林地风蚀模数［吨/（公顷·年）］；

$\qquad$ $A_{防风固沙}$——防风固沙林面积（公顷）；

$\qquad$ F——森林生态功能修正系数。

（2）防风固沙价值。计算公式：

$$G_{防风固沙} = K_{防风固沙} \cdot A_{防风固沙} \cdot (Y_2 - Y_1) \cdot F \cdot d \qquad (1\text{-}39)$$

式中：$U_{防风固沙}$——森林防风固沙价值量（元）；

$\qquad$ $K_{防风固沙}$——草方格固沙成本（元/吨）；

$\qquad$ Y_1——有林地风蚀模数［吨/（公顷·年）］；

$\qquad$ Y_2——无林地风蚀模数［吨/（公顷·年）］；

$\qquad$ $A_{防风固沙}$——防风固沙林面积（公顷）；

$\qquad$ F——森林生态功能修正系数；

$\qquad$ d——贴现率。

（3）农田防护价值。计算公式：

$$U_a = V \cdot M \cdot K \qquad (1\text{-}40)$$

式中：U_a——实测林分农田防护功能的价值量（元/年）；

$\qquad$ V——稻谷价格（元/千克）；

$\qquad$ M——农作物、牧草平均增产量（千克/年）；

$\qquad$ K——平均 1 公顷农田防护林能够实现农田防护面积为 19 公顷。

7. 生物多样性保护功能

生物多样性维护了自然界的生态平衡，并为人类的生存提供了良好的环境条件。生物多样性是生态系统不可缺少的组成部分，对生态系统服务的发挥具有十分重要的作用。Shannon-Wiener 指数是反映森林中物种的丰富度和分布均匀程度的经典指标。传统 Shannon-Wiener 指数对生物多样性保护等级的界定不够全面。本研究采用特有种指数、濒危指数及古树年龄指数进行生物多样性保护功能评估（表 1-1 至表 1-3），以利于生物资源的合理利用和相关部门保护工作的合理分配。

生物多样性保护功能评估公式如下：

$$U_{总} = \left(1 + 0.1\sum_{m=1}^{x}E_m + 0.1\sum_{n=1}^{y}B_n + 0.1\sum_{r=1}^{z}O_r\right) \cdot S_{生} \cdot A \cdot d \quad (1\text{-}41)$$

式中：$U_{总}$——实测林分年生物多样性保护价值(元/年)；

E_m——实测林分或区域内物种 m 的濒危指数(表 1-1)；

B_n——实测林分或区域内物种 n 的濒危指数(表 1-2)；

O_r——实测林分或区域内物种 r 的濒危指数(表 1-3)；

x——计算濒危指数物种数量；

y——计算特有种指数物种数量；

z——计算古树年龄指数物种数量；

$S_{生}$——单位面积物种多样性保护价值量[元/(公顷·年)]；

A——林分面积(公顷)；

d——贴现率。

本研究根据 Shannon-Wiener 指数计算生物多样性保护价值，共划分 7 个等级：

当指数<1 时，$S_{生}$ 为 3000[元/(公顷·年)]；

当 1≤指数<2 时，$S_{生}$ 为 5000[元/(公顷·年)]；

当 2≤指数<3 时，$S_{生}$ 为 10000[元/(公顷·年)]；

当 3≤指数<4 时，$S_{生}$ 为 20000[元/(公顷·年)]；

当 4≤指数<5 时，$S_{生}$ 为 30000[元/(公顷·年)]；

当 5≤指数<6 时，$S_{生}$ 为 40000[元/(公顷·年)]；

当指数≥6 时，$S_{生}$ 为 50000[元/(公顷·年)]。

表 1-1 物种濒危指数体系

濒危指数	濒危等级	物种种类
4	极危	参见《中国物种红色名录》第一卷：红色名录
3	濒危	
2	易危	
1	近危	

表 1-2　特有种指数体系

特有种指数	分布范围
4	仅限于范围不大的山峰或特殊的自然地理环境下分布
3	仅限于某些较大的自然地理环境下分布的类群,如仅分布于较大的海岛(岛屿)、高原、若干个山脉等
2	仅限于某个大陆分布的分类群
1	至少在 2 个大陆都有分布的分类群
0	世界广布的分类群

注:参见《植物特有现象的量化》(苏志尧,1999)。

表 1-3　古树年龄指数体系

古树年龄	指数等级	来源及依据
100～299 年	1	参见全国绿化委员会、国家林业局文件《关于开展古树名木普查建档工作的通知》
300～499 年	2	
≥500 年	3	

8. 森林康养功能

森林康养是指森林生态系统为人类提供休闲和娱乐场所所产生的价值,包括直接产值和带动的其他产业产值,直接产值采用林业旅游与休闲产值替代法进行核算。计算公式如下:

$$U_{康养} = (U_{直接} + U_{带动}) \times 0.8 \tag{1-42}$$

式中:$U_{康养}$——森林康养价值量(元/年);

$\quad\quad U_{直接}$——林业旅游与休闲产值,按照直接产值对待(元/年);

$\quad\quad U_{带动}$——林业旅游与休闲带动的其他产业产值(元/年);

$\quad\quad 0.8$——森林公园接待游客量和创造的旅游产值约占森林旅游总规模的百分比。

9. 森林生态系统服务总价值

森林生态系统服务功能总价值为上述分项价值量之和,公式如下:

$$U_I = \sum_{i=1}^{24} U_i \tag{1-43}$$

式中:U_I——森林生态系统服务功能总价值(元/年);

$\quad\quad U_i$——森林生态系统服务功能各分项价值量(元/年)。

第二章　全国森林资源质量 40 年动态变化

森林资源为重要的自然资源和林业生态建设的基础，担负着维持国民经济可持续发展、保障人民生活水平稳步提升和保护生态环境的重要使命。森林资源是林业生态建设的重要物质基础，增加森林资源以及保障其稳定持续的发展是林业工作的出发点和落脚点。森林资源消长变化的驱动因子很多(图 2-1)，包括：森林资源自身生长和枯损的自然规律、自然的破坏、人为经营活动或破坏。森林资源在受到以上因素干扰时，森林资源的数量和质量始终处于变化中。只有对森林资源开展定期调查，及时地掌握森林资源状况及其消长变化动态，对于科学的经营、利用、保护和管理森林资源具有重要意义。

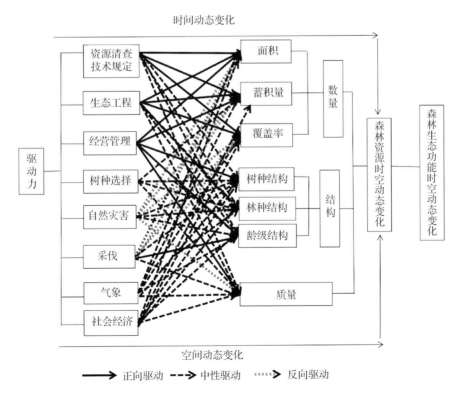

图 2-1　森林资源消长驱动力示意

我国自 20 世纪 70 年代中期开始，已经开展了 9 次全国森林资源清查工作。清查结果显示，全国和各省（自治区、直辖市）的森林资源发生了巨大的变化，如：20 世纪 80 年代，由于受到木材开放政策的影响，南方集体林区遭受到了极大的破坏，森林资源被大量的消耗，出现"森林赤字"现象；80 年代末至 90 年代初，由于人们意识到了森林资源遭受破坏的后果，各地纷纷实施了科学化造林，并强化了森林经营管理措施，再加上全社会造林绿化行动的迅猛发展和林业生态工程的实施，森林资源逐渐得到恢复；2000 年以来我国森林面积稳步增长，主要是政府对林业工作的重视，开展了各种增加森林面积的活动，特别是在全国范围实施的"六大"林业重点工程。通过以上论述可以看出，定期开展森林资源清查工作，能够让国家和各省（自治区、直辖市）的林业管理部门准确地掌握森林资源现状及其消长过程，为制定/修订相关的林业政策，保障林业可持续发展战略的实施提供重要依据。

第一节　森林资源时间尺度变化

我国是建立全国森林资源清查体系较早的国家之一。新中国成立以来来，先后完成了 9 次全国森林资源清查，分别在 1973—1976 年、1977—1981 年、1984—1988 年、1989—1993 年、1994—1998 年、1999—2003 年、2004—2008 年、2009—2013 年以及 2014—2018 年间。各次森林资源清查成果，都客观反映了当时全国森林资源的状况。本章以各期全国森林资源清查数据（以下简称"清查期"）为基础，对我国 40 年森林资源变化进行分析。

森林资源包括森林、林木、林地以及依托森林、林木、林地生存的野生动物、植物和微生物。这里以林木资源为主，还包括林中和林下植物、野生动物、土壤微生物及其他自然环境因子等资源。

一、森林资源数量变化

（一）森林面积

新中国森林资源发展变化经历了过量消耗、治理恢复、快速增长的过程。新中国成立之初至 20 世纪 70 年代末，林业作为基础产业，从国家建设需要出发，首要任务是生产木材，森林资源曾出现消耗量大于生长量的状况，造成了 20 世纪 70 年代初至 90 年代初森林资源总体上呈缓慢增长趋势状况。在"普遍护林护山，大力植树造林，合理采伐利用"的方针指导下，森林面积稳步增长。纵观近 40 年林业政策的变化，大致可分为以下几个阶段：

（1）20 世纪 70 年代左右，我国林业政策主要是森林采伐和培育相结合，森林采伐方面也由原来的大面积皆伐转变为了采育择伐、两次间伐和小面积皆伐。在这样的大趋势下，我国森林资料消耗过快的局面被逐渐扭转。

（2）20 世纪 80 年代末期至 90 年代，我国进入了改革开放的过渡时期，国内开始从计划经济转向市场经济体制，一些企业为了自身的经济利益以及森林资源监管制度的缺失，导致了森林资源被过度采伐，从而引起了森林资源生态效益、社会效益和经济效益的大幅度衰退。

（3）20 世纪 90 年代末，我国遭受了由于森林资源破坏所带来的种种自然灾害之后，开始认识到森林资源对环境保护、生态建设的重要作用，决定开始实行退耕还林、天然林资源保护等林业生态工程工程，国家林业局加大了森林资源采伐管理力度，严格控制森林采伐审批制度。森林资源的滥砍滥伐现象得到了有效控制，实现了我国以保护森林资源为主、合理利用为辅的森林经营体制。

（4）2000—2010 年，进入 21 世纪，为了适应我国现代化建设和可持续发展的要求，我国政府及时调整了林业发展的思路，制定了新的林业政策。国家林业局在深入调研和总结国内外林业发展成功经验的基础上，将原有的林业工程项目重新整合为六大林业重点工程，提出了以实施六大工程为重点，带动我国林业跨越式发展的林业发展思路（王淼，2011）。

我国近 40 年森林面积的变化如图 2-2 所示，从第二次清查期开始，到第九次清查期，我国森林面积增长了 1.05 亿公顷，增长幅度为 91.23%。驱动我国森林资源面积发生变化的主要原因有五个方面：

1. 清查期间技术规定的改变

首先，森林面积的增长与我国清查期间技术规定的变化有着直接的联系。第二次清查期比第一次清查期森林面积减少了 658.26 万公顷。其原因之一是调查方法差异，第一次清查侧重于查清全国森林资源现状，除部分地区按林班、小班开展资源调查外，大部分采用了抽样调查方法。第二次采用世界公认的森林资源连续清查方法，以抽样技术为理论基础、以省（自治区、直辖市）为抽样总体的森林资源连续清查基本框架进行调查。另一原因是国家对林业政策有重大改变，实行了林业承包责任制，但很不完善，问题较多，造成森林资源的减少。森林资源面积在第五次清查期有一个较大的飞跃，比前期增加了 2523.74 万公顷，其中一个主要原因是为了与国际标准接轨，第五次清查采用的标准是林业部 1994 年颁布的《国家森林资源连续清查主要技术规定》。该技术规定主要将有林地郁闭度的标准从以前的 0.30 以上（不含 0.30）改为 0.20 以上（含 0.20），结果显示森林面积增加。第五次清查期后，我国森林面积稳步增长，主要是政府对林业的重视，开展了各种增加森林面积的活动，特别是在全国范围实施的六大林业重点工程，极大提高了全国森林面积。第七次清查期间，将特殊用途灌木林列入了森林的范畴，这是七次清查期间森林面积增长的重要原因。

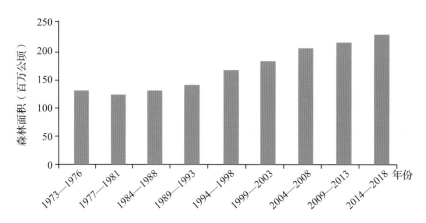

图 2-2　历次清查全国森林面积

森林是指由乔木、直径 1.5 厘米以上的竹子组成且郁闭度 0.20 以上，以及符合森林经营目的的灌木组成且覆盖度 30% 以上的植物群落。包括郁闭度 0.20 以上的乔木林、竹林和红树林，国家特别规定的灌木林、农田林网以及村旁、路旁、水旁、宅旁的林木等。

　　林业生态工程是指根据生态学、林学及生态控制论原理，设计、建造与调控以木本植物为主体的人工复合生态系统的工程技术。其目的在于保护、改善与持续利用自然资源与环境。

2. 林业生态工程的造林活动

　　据统计资料显示，40多年来我国造林面积达到了2.28亿公顷（表2-1），从第二次清查期间开始，历次清查期间造林面积占近40年我国造林面积的比例分别为9.85%、14.41%、12.19%、11.10%、13.98%、9.81%、13.11%和15.55%。从表中数据中以看出，随着我国经济社会的不断发展，人们越来越意识到森林的重要性，造林面积不断增加。另外，在第三次、第六次和第九次清查期间，造林面积达到最大值，这主要是因为在这一时期，国家启动了诸多林业生态工程和新一轮退耕还林工程、国家级公益林成效评价的实施，这些政策的变化都对造林面积的增加具有推动作用。

表 2-1　我国历次清查期间造林面积

万公顷

清查期	第二次	第三次	第四次	第五次	第六次	第七次	第八次	第九次
面积	2244.09	3281.19	2776.01	2529.26	3184.88	2233.60	2986.47	3541.53

注：第二次和第三次清查期间的造林面积为国营造林面积。

　　经查询相关统计资料（表2-2），1979—1987年生态工程造林面积为1790.54万公顷；从第四次清查开始，历次清查期间生态工程造林面积分别为991.37万公顷、1474.52万公顷、2475.50万公顷、1688.98万公顷、2428.96万公顷和1762.57万公顷，分别占同期造林面积的35.71%、58.30%、77.73%、75.62%、81.33%和49.77%。另外，天保工程、退耕还林工程、京津风沙源治理工程、三北及长江流域等重点防护林体系工程和速生丰产用材林建设工程造林面积所占比例分别为9.59%、12.54%、3.95%、25.14%和4.16%。从以上数据中可以看出，三北及长江流域等重点防护林体系工程、退耕还林工程和天保工程对于我国森林面积的增长起到的作用最大。

表 2-2　全国重点林业生态工程造林面积

万公顷

时间	天保工程	退耕还林工程	京津风沙源治理工程	三北及长江流域等重点防护林体系工程	速生丰产用材林建设工程
1979—1987 年	—	—	—	1334.53	456.01
第四次	—	—	13.28	926.59	51.50
第五次	29.04	—	92.09	1156.34	197.05
第六次	339.64	1262.23	221.00	608.53	44.10
第七次	358.30	841.22	207.52	272.34	9.60
第八次	872.85	388.37	258.69	908.58	0.47
第九次	584.35	363.47	107.74	518.18	188.83

退耕还林工程在长江中上游和黄河中上游分别造林面积为 924.06 万公顷和 725.09 万公顷（国家林业局，2014），分别占其流域内森林面积的 13.98% 和 48.47%。从以上数据中可以看出，退耕还林工程造林对于我国森林资源增长的重要性，尤其是黄河流域，几乎占了一半的森林面积。

另外，退耕还林工程在北方沙化土地区造林面积为 1592.29 万公顷，其中在沙化土地上的造林面积为 401.10 万公顷，严重沙化土地上造林面积为 300.61 万公顷（国家林业局，2016）。截至 2013 年，防风固沙型生态功能区（新疆维吾尔自治区、内蒙古自治区、宁夏回族自治区、甘肃省、陕西省）的森林面积为 723.00 万公顷，退耕还林工程在沙化土地造林面积和严重沙化土地造林面积分别占防风固沙型功能区森林面积的比例分别为 42.33% 和 38.87%，这足以说明我国退耕还林工程起到了极其重要的防风固沙功能，为我国的生态环境建设发挥了积极的作用。

截至 2013 年，天保工程在东北、内蒙古重点国有林区的造林面积为 7.35 万公顷（引自国家林业科学数据中心数据共享服务平台），占东北、内蒙古重点国有林区所在省份自天保工程启动以来森林面积增加量的 3% 左右。同时，截至 2015 年，天保工程东北、内蒙古重点国有林区的管护面积为 770.09 万公顷（国家林业局，2016b），占东北、内蒙古重点国有林区所在省份森林面积和天然林面积的比例分别为 16.47% 和 20.71% 左右。从以上分析数据中可以看出，天保工程对于东北、内蒙古重点国有林区所在省份森林资源保护的重要性，尤其是对于天然林的保护作用更为明显。

但是，如果林业政策或林业生态工程实施不当，也会对森林资源造成破坏，例如：1981 年，中共中央、国务院出台了林业"三定"政策，划分了自留山、责任山、轮耕地，由于责、权、利未得到根本落实，出现了滥伐森林的情况，这是 1978—1987 年间云南省活立木蓄积量下降的主要因素，森林面积变动不大的情况下单位面积蓄积量却下降近 10%，反映了这一时期的林分被人为采伐变得稀疏的现实（艾建林等，2010）；山东省 1978 年调整林业政策后，由于缺少经验，盲目地借鉴与实施了一系列不合理的经济措施，导致山东省的林业资源受到了一定的破坏（王凯，2016）。

各林业生态工程对于各省份的作用也不尽相同，例如：① 广西壮族自治区自 1977 年以来，通过实施一系列的重大林业工程，森林资源数量大幅增长，质量有所提高。具有代表性的有 20 世纪 80 年代中后期的广西全区造林、灭荒达标、绿化达标；20 世纪 90 年代开始的以国家投入为主的林业生态工程建设，例如，珠江防护林体系建设工程、沿海防护林体系建设工程、退耕还林工程、农田防护林体系建设工程等；20 世纪 90 年代中期开始的以建立各类林产工业原料林基地为代表的速生丰产林造林等，因而第四次清查与第一次相比，其森林覆盖率增长了 135.73%（金大刚和李明，2007）。② 宁夏回族自治区利用天保工程、退耕还林工程和三北治沙造林工程等的相继实施，尤其是 2007 年实施"六个百万亩"林业工程，2012 年宁夏完成造林面积 44.37 万公顷，其中人工造林 31.37 万公顷，封山育林 13.00 万公顷，造林后全区森林覆盖率提高 8.5%（王东清和李国旗，2010）。③ 为彻底改善辽宁省西北地区的恶劣环境，相继实施了以三北防护林工程为纽带的五大防护林建设和四大基地建设，建立比较完备的生态林体系。三北防护林工程共造林 100 万公顷，西北地区覆盖率由 11% 提高到 27.4%，其中营造水土保持林 20.1 万公顷，有效控制了 150.5 万公顷面积的水土流失，绝大部分荒山的土壤侵蚀模数下降 60%，为农牧业生产发挥了巨大的屏障保护作用（陈杰和王树森，1998；杨燕和翟印礼，2016）。④1998 年，山西省在全国率先实施了天保工程，2000 年国家正式启动。山西省在国家划定的 72 县范围内实行全面禁伐，到 20 世纪末天然林面积达到 107.0 万公顷，天然林资源的稳步增长，对维护山西生态安全发挥了重要作用（张芳，2007）。

各省份根据自身的特点所制定实施的森林资源恢复政策，也对全国森林资源的增长提供了源源不断的动力。例如：① 改革开放后，浙江省政府先后制定了两项政策，一是"两年准备、五年消灭荒山、十年绿化浙江"；二是"建万里绿色通道，创千亿产值，造浙江秀美山川"，重点抓好生态公益林建设、万里绿色通道、平原城镇绿化、林业产业化四大工程。伴随这些工程的实施，浙江省森林资源逐步恢复，森林覆盖率由 1979 年的 33.7% 增加到 2004 年的 60.5%，林业用地面积、森林面积、森林蓄积量都有很大幅度的增长。林分质量也有小幅度提高，这表现在林龄结构的初步改善，中龄林所占比例增加，优势树种多样化，以及单位面积蓄积量的增加（林建华等，2007）。② 自 1985 年以来，江西省政府根据"治湖必须治江、治江必须治山、治山必须治穷"的生态治理理念不断推进"山江湖工程"建设，并把植树造林作为山江湖工程治理的主要手段，到 2005 年年底森林覆盖率已达到 60.2%（张起明等，2011）。③湖北省在提出《十年绿化湖北的决定》以来，以全社会绿化为基础，以平原绿化和长江防护林工程等一批重点工程为骨干，大力保护和发展森林资源，森林面积、蓄积量和覆盖率有很大的提高，并且湖北省经济林建设发展迅速，全省经济林面积（2007 年）占森林面积的 11.6%，比 1985 年增长 11.9 万公顷，经济林树种多达 35 种，经济效益十分显著（袁传武等，2007）。④海南省于 1994 年在全国率先停止采伐天然林，全力封山育林。为了促进人工造林，实行以"联产承包"为主的多种责任制，推广以"五改"为中心的科学造林，发展速生丰产林，再带动其他造林，做到国营、集体、个人齐造林，并对造林的单位与个人给予一定的优惠政策。1987—2003 年成为海南历史上人工造林速度最快的时期，并且造林质量不断提高，克服了过去一些地方年年造林不见林的状况（陈磊夫，2007）。

3. 森林经营管理措施

森林经营管理措施也会对森林资源产生一定的影响，森林经营措施是由一系列单个措施如采伐、集材、林地清理、整地、幼林抚育等组成（邱仁辉等，2000）。森林经营措施类型是按照森林培育和利用的主要环节或技术措施，将森林经营措施和技术特征相同的小班组织为同一类型的小班集合体。森林经营措施除通过影响木材和其他林产品产量、质量来影响森林经营收益外，还对森林生态系统具有重要的影响（韦子荣和舒相才，2015）。①截至 2000 年，河南省森林资源中，以幼、中龄林占绝对优势，但对加强其经营管理认识不够，措施不得力，使林相变得残破，有些则退化为疏林地和杂灌丛。与 1993 年相比，疏林地面积增加 3.48 万公顷，年均净增率 6.01%，其中除主要部分是由于前期人工造林及封山育林而由无林地转化而来外，另有相当一部分是经营不善造成的由林分与未成林林地转化而来的（段绍光等，2001）。② 山东省自 2002 年后，全省加强了中、幼龄林抚育和森林资源管理工作，森林质量显著提高，据《第八次全国森林资源清查山东省森林资源清查成果》显示与前期相比每公顷单位面积蓄积量增加 14.65 立方米（王爱东等，2006）。

4. 社会经济等其他因素

社会经济等因素亦会对森林资源的变化产生影响，人口数量及人口密度和经济发展水平是制约森林资源消长的重要因子（李双成和杨勤业，2000）。还有研究表明，农民人均家庭纯收入对有林地面积和活立木蓄积量都具有显著的正向影响。这是因为农民收入水平的提高，会减少农民的生存压力，从而减少了毁林开荒的可能性及其对森林资源的过度依赖，这在很大程度上缓解了森林资源的压力（甄江红等，2006）。

（1）广东省林业用地面积总量在 1983 年至 2005 年之间，1987 年最小，这是因为改革开放以来，随着人口的增加和经济的迅速发展，各项建设用地迅速增加，加上一些地方领导干部存在重耕地轻林地的错误思想，对林地的管理重视不够，没有把林地放在与耕地同等重要的位置来对待，造成全省林地面积逐年减少（马秀芳，2007；林媚珍等，2008）。

（2）20 世纪 90 年代中后期，由于河北省城市化进程快速发展，对建设用地需求的增加是减少林地面积的最主要因素。因为当工业化进入高度发展之后，由于对林木资源经济价值的需求仍然存在，同时对森林发挥生态功能的需求不断增加，二者共同作用拉动了林地面积的增长（戴芳等，2009）。

（3）江苏省在 2010 年至 2015 年期间，乔木林地面积新增 40.67 万公顷。但是，苏北平原地区早期发展的杨树林大面积进入采伐期，且杨树木材价格和同种植农作物相比比价效益明显下降，农民对耕地上和房前屋后栽植的杨树进行采伐后不再栽植，致使全省杨树林面积由 2010 年的 82.63 万公顷减少至 2015 年的 53.90 万公顷，年均净减率 8.42%（李思刚等，2011）。

（4）随着沿海地区经济的发展，江西省剩余劳动力向沿海转移，1995

年全省第一产业和第三产业的劳动者比 1980 年分别下降了 26.7%、14.0%。人口数量的下降，一定程度上削减了耕地开发对林地资源的侵占。1980—1995 年江西省林地面积增加近 3.6 万公顷（张起明等，2011；沈文清和戴星照，2016）。

5. 某些树种大面积种植

由于种种原因，某些树种的大面积种植也是提升森林资源的重要原因之一。例如：①随着我国经济建设对木材需求的增加和天然林资源的减少，国家十分重视速生丰产林的建设。20 世纪 80~90 年代，林业部先后实施了速生丰产用材林基地建设项目和国家造林项目，其中杨树造林面积 240 多万亩，分布在湖北、山东、河北等省份。20 世纪末至 21 世纪初，改善气候环境的生态需求，造纸、板材、家具生产的工业原材料需求和农村产业结构的调整，促进杨树速生丰产栽培出现迅速发展的局面（张志国，2014）。②桉树（*Eucalyptus robusta*）是世界著名的速生树种，以其适应性强、容易繁育、用途广泛、经济价值高而为许多国家和地区引种栽培。我国自 20 世纪 50 年代开始大面积营造人工林，到 80 年代把大面积营造速生丰产林作为解决木材不足的战略任务之一（李淑仪等，2007）。我国在 20 世纪 60 年代中期，迎来了桉树引种和栽培造林的第一次高峰期；第二次高峰期出现在 20 世纪 80 年代中期，全国桉树人工林造林面积达到 154.7 万公顷，四旁种植 18 亿株（肖前刚，2008）。

（二）森林蓄积量

由图 2-3 可知，森林蓄积量由第二次清查期的 90.28 亿立方米，增加至第九次清查期的 175.60 亿立方米，40 年的时间增加量为 85.32 亿立方米，增幅为 94.51%；相对于第八次清查期，第九次清查期森林蓄积量增加了 24.23 亿立方米，增幅为 16.01%。第二次至第三次清查期间，森林蓄积量增加缓慢，这一时期林业主要以木材生产为主，没有把全部资源当作经营对象来经营。尤其是新中国成立初期，森林多是天然形成的，资源"无价"，可以随便砍伐，也不用计入生产成本，对森林资源采取掠夺式采伐。尽管这一时期也进行了各种造林、营林工程，如三北防护林工程建设等，还是导致了林业战线的"两危"局面。第四次清查期期间，我国实施林业分类经营、森林保护、限制采伐额度等政策，并加强了经营力度，使全国森林蓄积总量得以大幅度提高。随着国家实行森林保护的各种政策

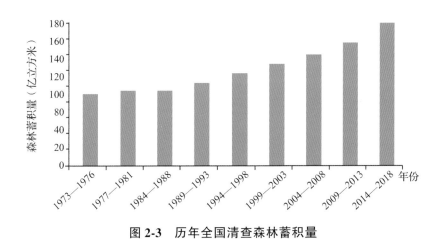

图 2-3 历年全国清查森林蓄积量

出台，森林质量得到大幅度提升，森林蓄积量稳步上升（雷加富，2005）。

各林业生态工程的实施，在增大了森林面积的同时，也提升了我国森林蓄积量。例如：自 1999 年，陕西省实施的退耕还林工程加大了造林力度，有效地增加了森林面积。1999—2004 年的森林面积和蓄积量年净增率分别为 2.7% 和 1.89%，远大于 1994—1999 年森林面积和蓄积量的年净增率 0.64% 和 0.333%（曹扬等，2013）。天保工程的实施，使得我国防护林面积所占比例逐年上升，从第一次清查期的 7.41% 上升到了第八次清查期的 48.49%，这对我国森林蓄积量的增长提供了重要的基础。自天保工程实施以来，我国天然林资源得到了有效保护和发展，天然林面积从 1988 年的 8846.59 万公顷逐年稳步增长到 2008 年的 11969.25 万公顷，蓄积量从 75.62 亿立方米增长到 114.02 亿立方米（龚循胜等，2013）。

森林蓄积量是指一定森林面积上存在着的林木树干部分的总材积。它是反映一个国家或地区森林资源总规模和水平的基本指标之一，也是反映森林资源的丰富程度、衡量森林生态环境优劣的重要依据。

另外，某些速生树种的大面积推广，也是森林蓄积量增长的原因之一，例如：自 2000 年以来，随着木材需求量的日益增大，杨树人工林在我国北方发展极为迅速。以山东省为例，2000 年其总面积和蓄积量分别为 22.53 万公顷、1544 万立方米，2007 年达到 89.33 万公顷、4549 万立方米，分别增加了 296.5% 和 194.6%（贾黎明等，2013）。桉树是我国三大速生树种（桉树、杨树、松树）之一。桉树凭借速生的优势，当年营造即可达到当年成林的效果。所以，进入 21 世纪以来，桉树的种植面积大幅度增长，例如：广西壮族自治区自 2001 年开始，桉树的种植面积以每年 200 万亩(13.33 万公顷)的速度增长，更为显著的是从 2005 年至 2009 年，其蓄积量增长了近 6 倍(黄国勤和赵其国，2016)。

我国森林蓄积量的变化主要是由每年蓄积增加量和蓄积采伐量相互作用的结果。从图 2-4 中可以看出，第三次清查期间的蓄积量与第二次相比，采伐量急剧增加，幅度为 23.06%。所以，造成了我国森林蓄积量在第二次与第三次清查期间增加最少。从我国森林面积的变化还可以看出(图 2-2)，第二次至第四次清查期间和第六至七次清查期间森林面积增长量较少，这同样是因为木材采伐量较高导致的，第三次和第四次清查期间的采伐量均在 6000 万立方米/年以上，第七次甚至达到了 8000 万立方米/年。从图 2-4 中还可以看出，自我国改革开放以后，随着经济的发展木材采伐量逐渐增长，直到 20 世纪 80 年代末 90 年代初，我国实施林业分类经营、森林保护、限制采伐额度等政策，才扭转了木材采伐量居高不下的局面。但是，这种情况并没有持续太长时间，到 20 世纪 90 年代末又达到了 7000 万立方米/年，森林资源遭到巨大的破坏，导致了大洪水的发生。之后，我国实施了天保工程，保护了大面积天然林，因而在第六次清查期间的木材采伐量急速下降，并且森林面积比第五次清查期高出了 1600 万公顷。另外，第七次清查期和第八次清查期间，我国木材采伐量保持在 8000 万立方米/年，达到了历史之最，但是森林资源并没有减少，这主要是因为南方大面积种植桉树和北方大面积种植杨树的重要作用，经分析数据发现，近 40 年来，桉树和杨树的面积和蓄积量分别增加了 420.20 万公顷、1.54 亿立方米和 753.73 万公顷、5.17 亿立方米。

(三)森林覆被率

1973—1993 年间森林覆盖率增加缓慢，都低于 1%，且第二次清查期间有所降低，下降了 0.54%，主要由于这一时期，林业处于"重采轻造"以木材生产为主的时期，对森林进行无节制采伐；1994—2013 年增长速度较快，都高于 1%，且在第三次与第四次清查期之间有一较大飞跃，超过了 2%，这除了与国家相关林业政策有关外，还与林业调查标准与国际接轨及森林标准的改变有关，这些是造成森林统计面积增长的一个重要原因。第九次森林资源清查显示我国森林覆盖率已达到 22.96%(图 2-5)。根据联合国粮农组织(FAO)《2020 年全球森林资源评估》显示，全球森林

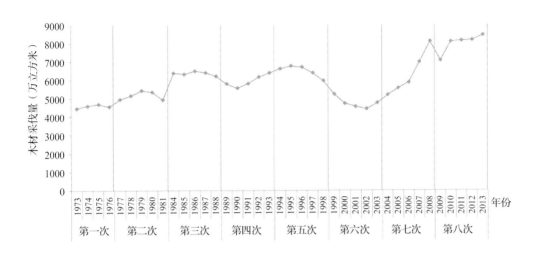

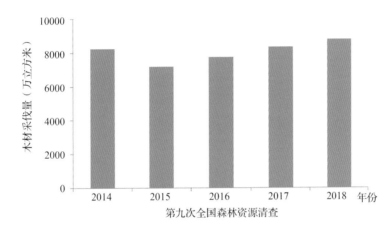

图 2-4 我国历年木材采伐量

砍伐仍在继续，尽管速度有所放缓，自 2015 年以来，每年有 1000 万公顷土地被转换为其他用途，较之前 5 年的每年 1200 万公顷有所下降，FAO 发布的《2015 年全球森林资源评估报告》显示，我国的森林覆盖率仍然低于世界森林覆盖率 30.70% 的平均水平，更是低于俄罗斯（49.80%）和巴西（59%）等国家的森林覆盖率。从全球看，全球森林覆盖率由 1990 年的 31.60%，降低至 2015 年的 30.70%，而我国的森林覆盖率是逐年增加的，森林面积也在增大。

森林覆盖率亦称森林覆被率，指一个国家或地区森林面积占土地面积的百分比，是反映一个国家或地区森林面积占有情况或森林资源丰富程度及实现绿化程度的指标，又是确定森林经营和开发利用方针的重要依据之一。

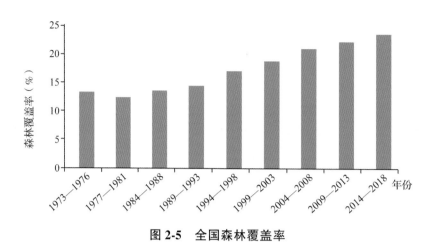

图 2-5　全国森林覆盖率

二、森林资源质量变化

森林单位面积蓄积量、单位面积生长量、森林健康状况等是衡量森林质量的重要指标。本报告以森林单位面积蓄积量指标来分析 40 年我国森林资源质量变化。历次清查期森林单位面积蓄积量统计结果，如图 2-6 所示。

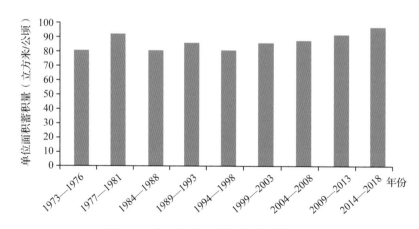

图 2-6　全国森林单位面积蓄积量变化

从九次全国森林资源清查可以看出（图 2-6），第二次清查期全国森林单位面积蓄积量为 90.00 立方米/公顷，这主要是因为这一时期我国林业实行了"三定"政策以及农业方面实施了"家庭联产承包责任制"等促进农民生产积极性的政策，使得一些残次林和质量不高的森林被砍伐或转成农田，从而使得第二次清查期间的森林单位面积蓄积量陡然提升。第五次清查期后，单位面积森林蓄积量明显降低，这主要是因为我国清查期间技术规定主要将有林地郁闭度的标准从以前的 0.30 以上(不含 0.30)改为 0.20 以上(含 0.20),从而导致了森林单位面积蓄积量的降低。第七次清查期森林单位面积蓄积量再次降低,这与我国退耕还林、天然林资源保护等林业生态工程建设有关,大部分造林都还处于有幼龄林阶段,第八次清查期间单位面积蓄积量的上升也恰恰证明了这一点。第九次森林资源清查全国森林单位面积蓄积量达最大(94.83 立方米/公顷),相对第八次清查期增加了 5.04 立方米/公顷,这说明在 2014—2018 年之间我国森林质量得到较大提升,与这一时期相关的林业政策相关,这一时期实施了新一轮退耕还林工程。

(一)森林资源结构变化

1. 树种结构

(1)主要优势树种(组)面积结构。我国森林资源十分丰富,有木本植物 8000 余种,约占世界的 54%。其中,乔木树种 2000 余种。依据第八次森林资源清查数据,乔木林按优势树种(组)统计,面积位列前 10 位的有栎树(*Quercus* spp.)、桦树(*Betula*)、杉木(*Cunninghamia lanceolata*)、落叶松(*Larix gmelinii*)、马尾松(*Pinus massoniana*)、杨树、云南松(*Pinus yunnanensis*)、桉树、云杉(*Picea asperata*)和柏木(*Cupressus funebris*),各时期的主要树种(组)面积见表 2-3。历次清查期各树种面积变化情况如图 2-7 至图 2-16。第一次清查期间由于受到清查手段和统计方法的限制,缺少某些优势树种(组)的资源数据。

表 2-3　主要优势树种(组)面积时间动态变化　　×10² 公顷

清查期 / 树种	第一次 (1973—1976 年)	第二次 (1977—1981 年)	第三次 (1984—1988 年)	第四次 (1989—1993 年)	第五次 (1994—1998 年)	第六次 (1999—2003 年)	第七次 (2004—2008 年)	第八次 (2009—2013 年)	第九次 (2014—2018 年)
栎类		54324	155156	172623	184769	182177	161003	166271	165626
桦木		48997	85409	92330	107098	113883	107985	112634	103834
杉木	63100	60712	76831	91115	123952	138159	112687	109636	113866
落叶松	76900	99618	93880	91718	104424	104939	106311	106946	108351
马尾松	211000	142437	130085	143443	180749	173920	120350	100063	80430
杨树		24373	54547	53787	62840	70444	101026	99726	82549
云南松	66200	57787	37587	35133	45541	47794	46059	45470	42574

（续）

清查期 树种	第一次 (1973—1976 年)	第二次 (1977—1981 年)	第三次 (1984—1988 年)	第四次 (1989—1993 年)	第五次 (1994—1998 年)	第六次 (1999—2003 年)	第七次 (2004—2008 年)	第八次 (2009—2013 年)	第九次 (2014—2018 年)
桉树		2132	2919	4315	6094	8219	25462	44552	54674
云杉	46200	34692	38469	42399	50654	45007	43096	42122	43934
柏木		13412	19055	18183	23107	31979	32437	36585	37082

历次清查期栎类面积变化，见图 2-7。

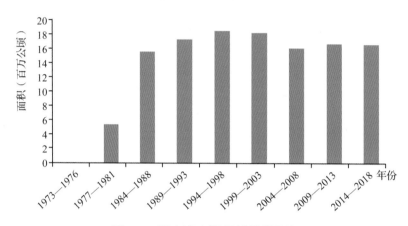

图 2-7 历次清查期间栎类林面积

吴征镒将我国栎类分布地域划分为东北、华北、华东、华中、华南、滇桂黔、云南高原、横断山脉、东喜马拉雅和台湾共 10 个区系。东北区系以蒙古栎（*Q. mongolica*）和辽东栎（*Q. liaotungensis*）为主，是组成该地区森林植物区系的建群种；华北区系以蒙古栎、槲树（*Q. dentata*）、栓皮栎、槲栎（*Q. aliena*）等落叶栎为主，也是该地区森林植物的组成部分；华东区系仍以落叶栎为主，主要包括黄山栎（*Q. stewardii*）、小叶栎（*Q. chenii*）、栓皮栎、白栎（*Q. fabric*）、短柄枹栎（*Q. glandulifera* var. *brevipetiolata*）等，常绿栎类较少；华中区系有落叶栎和常绿栎，落叶栎如麻栎、短柄枹栎、枹栎（*Q. glandulifera*）；华南区系以常绿栎为主，落叶栎则只有广泛分布的麻栎和栓皮栎；滇桂黔区系有落叶栎和常绿栎，其中落叶栎如麻栎、栓皮栎以及中国特有的枹栎、白栎等。其他 4 个区系均包含落叶栎和常绿栎（王连珍等，2013）。

从图 2-7 可以看出，栎类林面积总体呈现出先增长后减少而后又增加的趋势，在第二次清查期间，栎类林面积最小，为 543 万公顷，之后清查的栎类的面积较之第二次都有大幅度增加，但每期清查面积都相差不大。在历次的清查中，以第五次的清查面积最大，为 1848 万公顷。栎类资源不仅是国家木材资源和生态安全的重要保障，同时也是重要的工农业产品和生产原料，则栎类面积一直保持在较高水平。所以，栎树是生态效益、经济效益与社会效益显著的大树种，保护和利用好栎类资源对促进经济发展、带动区域就业、增加林农收入具有重要作用（王敬贤，2017）。我国目前的栎树资源主要是历史上保存下来和近年来深山区封养起来的山林资源，随着栎树资源的不断开发利用，资源的数量将逐渐减少，由于栎树生长相对缓慢，而且又是组成阔叶林或针阔混交林的建群种，一旦破坏，在相当长时间里将很难恢复。由于栎类树种生长缓慢、造林的近期成效不明显，我国对栎树的发展重视不够，目前，还没有将栎类作为重要造林树种（张金香等，2014）。所以，我国栎类面积从第二次清查开始变化不大。

历次清查期桦木面积变化，见图 2-8。

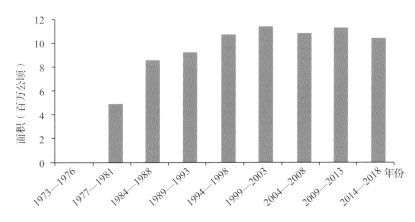

图 2-8　历次清查期间桦木林面积

我国西南地区是桦木属植物的起源中心之一，经发育分化，沿横断山脉峡谷向青藏高原内部扩散；沿青藏高原东坡扩散到秦岭西端，或向西至新疆天山温带荒漠区与阿尔泰山温带草原区分化成新类型，构成西北地区的分布分化中心；向东沿秦岭、太行山、燕山、大兴安岭、小兴安岭和长白山路线分布到东北，形成东北地区的次生分布中心，分布种均为进化种；沿长江流域向东到华中和华东地区，沿元江、红河流域扩散至海南岛（杨万波等，2012）。

由图 2-8 可见，桦木林面积总体上先增加后减少，从第二次清查到第三次清查桦木林增加的面积最大，为 $3.64×10^6$ 公顷，这是因为党的十一届三中全会以来逐步放宽了林业政策，采取了一系列行之有效的措施，如开展林业"三定"（即稳定山权林权、划定自留山和确定林业生产责任制）工作，初步解决了长期以来山林权属不清的问题，激发了人们造林动力，增强了人们对森林的认识，逐步认可了森林的重要性，加大了造林力度，到 1986 年时，"两户一体"和个人造林的比例从 1981 年的 6.7% 提高到 55%，造林总量的增加也使得桦木林面积大幅度得到提升；第三次清查之后，桦木林面积变化基本平稳，到第六次清查时，桦木林的面积达到最大，为 $11.39×10^6$ 公顷，在第七、八和九次的清查中又略有减少，但变化幅度很小。

历次清查期杉木林面积变化，见图 2-9。

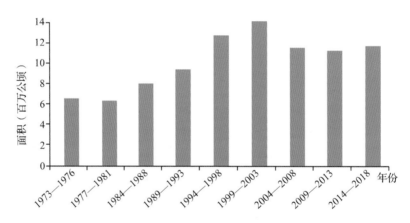

图 2-9　历次清查期间杉木林面积

杉木是我国重要的速生商品用材树种，生长快、材质好、木材纹理通直、结构均匀、材质轻韧、强度适中、加工容易、能抗虫耐腐。杉木分布较广，在东至浙江、福建沿海山地及台湾山区，西至云南东部、四川盆地西缘及安宁河流域，南自广东中部和广西中南部，北至秦岭南麓、桐柏山、大别山的广大区域内均有分布。其中，以杉木人工纯林为主，也有与马尾松、毛竹及其他阔叶树种组成的混交林。近几年来，我国杉木资源的总面积和总蓄积量仍呈增加趋势（施恭明，2010）。由图 2-9 可知，杉木历次清查期面积变化幅度较大，总体上呈上升趋势，第六次达到最高为 $13.82×10^6$ 公顷，第七、八和九次清查期又有所下降。杉木是我国最重要的速生用材树种，在全国森林资源结构中占有重要地位。为了缓解森林资源危机和木材供需的矛盾，林业部在1987年提出要改变传统林业模式，统筹规划，集约经营，抓紧建设速生丰产用材林基地的林业发展战略，逐步做到从开发利用天然林为主转向集约经营人工林为主的轨道(《中国林业统计年鉴(1987)》)，加之杉木作为我国南方的重要用材树种，以其生长速度快，生产周期短，木质好，树干挺直，生长健壮，用途广泛，因此，杉木被广泛种植，呈现出杉木林面积逐渐增加的趋势。杉木林面积在第七、八和九次的清查中出现减少，与一些地方开发建设项目盯上林地，致使林地收到严重威胁有关(《中国林业统计年鉴(2004)》)。

历次清查期落叶松面积变化，见图2-10。

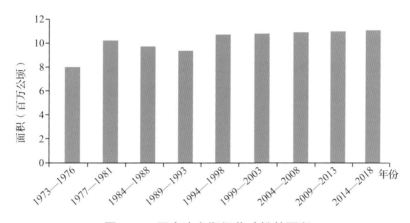

图 2-10　历次清查期间落叶松林面积

落叶松是寒温带和温带的树种，资源储量十分丰富，天然分布范围很广，在针叶树种中最耐寒，垂直分布可达到森林分布的最上限，是东北、内蒙古林区以及华北、西南高山针叶林的主要森林组成树种。由于落叶松属各种均具成活率高、对气候的适应能力强、早期速生、成林快、轮伐期短、病虫害较少、适宜山地栽培和木材用途广泛等生物学特性，且经营成本低，获取经济效益早等特性，落叶松成为了短周期工业用材林基地的主要造林树种(李红艳，2013)。由图2-10可知，落叶松在历次清查期森林面积变化较为平稳，第一次的清查面积最小为7.69×10^6公顷，第二次至第九次清查期落叶松林面积出现先减少后增加，以第九次清查的面积最大。1987年大兴安岭特大森林火灾以及南方集体林区乱砍滥伐的猖獗活动，对森林面积产生较大的负面影响，加上第三、四次清查期间社会发展对木材产品的需求已超过当时森林资源的承受能力，同时再造林进度缓

慢，资源管理失控，致使有限的森林资源连年减少，消长失衡的情况仍然
严峻。从第五次清查至第八次清查间期，落叶松林的面积变化较小，这是
因为国家改革采伐限额管理，严格凭证运输木材，尤其是在 1998 年的特
大洪水后，社会各界对加强林业建设、保护森林植被、改善生态环境的呼
声空前高涨，国家加大了对林业和生态环境的重视，并提出建立比较完备
的森林生态体系和比较发达的林业产业体系，以保护和改善生态环境为重
点，深化分类改革，促进林业持续健康快速发展。落叶松作为北方山区及
高海拔区域重要的森林群落建群种，不但是重要的用材树种，而且也是重
要的防护树种，不能只是注重落叶松林木的价值，更应该认识森林的防
护、涵养等生态价值，在这种思想转变下，落叶松林得到了保护和发展，
面积呈现稳步增长的态势。

历次清查期马尾松面积变化，见图 2-11。

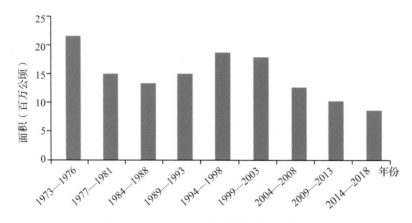

图 2-11 历次清查期间马尾松林面积

马尾松是我国最广泛的松属树种之一，北自河南及山东南部，南至广
东、广西、台湾，东自沿海，西至四川中部及贵州，遍布于华中、华南各
地。作为重要的用材树种、产脂树种和荒山造林树种，马尾松的生态价值
和经济价值较高（张小波等，2016）。图 2-11 明显可见，马尾松面积在不
同清查期间变化幅度较大。第一次清查期面积最大，为 21.10×10^6 公顷，
而第九次清查期间面积最小，为 8.04×10^6 公顷，两者相差 13.06×10^6 公
顷，在九次清查期间，马尾松林面积呈现先减少后增加而后又减少的趋
势。我国林业在新中国成立时遗留下来的森林很少，祖国的大好河山满目
苍夷，林业基础极为薄弱。我国在 20 世纪 50 年代制定了"普遍护林，重

点造林"的方针(《中国林业统计年鉴(1949—1986)》)，使得森林面积大幅度增加，但也经历了"文化大革命"的时期，造成大量森林被乱砍滥伐(《中国林业统计年鉴(1949—1986)》)，甚至在南方部分地区遭受哄抢盗砍的破坏，加之马尾松是我国南方珍贵用材树种，经济价值高，用途广，松木是工农业生产上的重要用材，主要供建筑、家具及木纤维工业原料，使得马尾松林面积在保护和破坏中曲折变化，呈现出先减少后增加而后又减少的局面。

历次清查期杨树面积变化，见图 2-12。

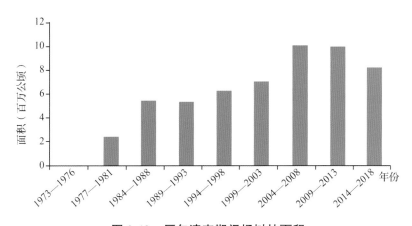

图 2-12　历年清查期间杨树林面积

杨树在我国的自然地理分布区域遍及东北、西北、华北和西南等地，即从寒温带针叶林区到亚热带常绿阔叶林区，从森林草原区到干旱荒漠区均可见天然生长的杨树；但多数在山区，主要分布在北方海拔 500 米左右的低山地区以及中、西部海拔 1000 米以上的高山区、高原区。我国杨树集中栽培区为长江中下游各省份，淮河、黄河流域各省份以及东北三省和内蒙东部及河套地区，即主要在低海拔的河流沿岸和平原地区(苏晓华等，2010)

图 2-12 明显可知，在历次清查期杨树林面积逐步增加，第二次清查期面积最小，为 $2.44×10^6$ 公顷，第七次清查期面积最大，为 $10.10×10^6$ 公顷，这主要与国家相关政策有关。杨树是北方低山平原区的主要树种，受农业影响较大。第二次清查期内，林业实施了承包责任制，由于制度还不太完善，林业生产周期比较长，农民对政府政策特别是在政策稳定性方面了解不够，造成杨树的过度利用，而随着政府部门各种林业政策的推

出，杨树作为北方一个速生、高产、优质树种，得到了广泛推广，杨树种植面积大幅度提高，成为北方的一个广谱性树种；同时，国家结合华北平原发展林业的土地，自然条件优越，林木速生丰产，交通便利，加之社会对发展林业有迫切的需要，制定在华北平原地区大力推广发展杨树速生丰产林的建设（《中国林业统计年鉴（1987）》），从而使得杨树林面积呈现出逐年增加的趋势。另外，我国 1999 年 11 月编制的《全国重点速生丰产林基地建设工程总体规划》，在东北地区、黄河中下游沿岸、长江中下游湖区营造杨树纯林，定向培育以纤维材和人造板材为目标的杨树速生丰产林基地（张忠涛和孙乐智，2001）。

历次清查期云南松面积变化，见图 2-13。

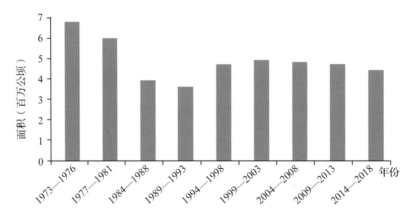

图 2-13 历次清查期间云南松林面积

云南松是我国西南地区的特有树种，具有生态适应性广、天然更新能力强的特点，云南松林是我国西部偏干性亚热带的典型代表群系。云南松耐旱耐瘠薄，是荒山绿化的主要树种，云南松林还是生态、经济和社会效益高的森林生态系统之一。云南松分布以云南省为中心，在四川、贵州、广西、西藏均有分布，分布区地形地貌复杂多变，海拔相差较大，呈现出明显的西北高、东南低的地势，倾斜不均匀并多级阶梯状下降（陈飞等，2012）。

由图 2-13 可知，云南松森林面积在 40 年中，呈现出先减少，而后逐步增加并趋于稳定的变化过程。第一次至第四次清查期期间，云南松森林逐年锐减，由第一次清查的 6.62×10^6 公顷下降到第四次的 3.51×10^6 公顷，下降了 46.98%，这可能与云南松森林掠夺式采伐利用有关，加之当时的管理政策不明朗、管理措施不到位、偷采盗伐现象存在(《中国林业统计年鉴(1987)》),使得云南松在前四次的清查中面积大幅度地减少。随着经济的发展形势,结合生态环境建设的需要以及广大人们群众对林业正确认识的增强,国家逐步实施了天保工程,在长江上游、黄河上中游地区发展公益林,停止对天然林采伐,对宜林荒山荒地造林绿化,尽快恢复林草植被,并对陡坡耕地有计划有步骤地退耕还林(草)(《中国林业统计年鉴(2000)》),正是这些得力措施,云南松的面积得以逐渐恢复并趋于稳定。另外,自然灾害也是造成云南松面积减少的原因,2009—2013年间,我国西南地区出现了有史以来最为严重的秋冬春连旱现象,仅云南省林地受灾面积就达286万公顷,在云南松分布主产区出现了云南松单株或成片死亡的现象(郑元等,2013)。

历次清查期桉树面积变化,见图2-14。

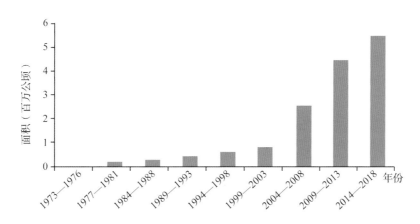

图 2-14　历次清查期间桉树林面积

桉树是世界上热带和亚热带广大地区的主要造林树种,目前已有人工林1700万公顷,主要分布在亚洲、南美洲、非洲、欧洲和大洋洲,占热带地区每年造林面积的40%~50%。桉树现已成为我国华南地区最重要的速生用材林树种,大面积造林开始于20世纪80年代后期和90年代初期(徐大平和张宁南,2006)。我国自1890年引种桉树,至2000年片状桉树人工林面积154万公顷,四旁植树18亿株。据2011年中国林学会桉树专业委员会初步统计,我国桉树人工林面积已达到368万公顷(王楚彪等,2013)。

由图2-14可知,桉树在各调查期内面积逐年增加,第八次清查期及第九次清查期增长速度最快,分别为第二清查期的 21.24 倍和 26.05 倍。这主要是因为桉树是我国生长速度最快的树种之一,生长快、抗性强、经济效益显著,是我国南方速生丰产林工程的重要树种;同时,随着对碳库的研究,以及响应国家节能减排的需要,桉树作为速生植被能够快速大量地固定空气中的二氧化碳,在"双碳"战略中将发挥巨大作用;再加上有关组织和机构为了完成相关的节能减排任务,在我国南方地区实行大规模的桉树种植,在完成节能减排指标的同时,增加了桉树的造林面积,使得桉树面积大幅度增加,这种现象在第八次和第九次的清查中最为突出。

以广西壮族自治区为例:20 世纪 90 年代中期以来,由于追求商品林经营的经济效益,传统经营用材树种如杉木、马尾松等长周期树种比重下降,而以速生桉为代表的短周期用材树种比重明显上升。2005 年,广西桉树人工林面积 53.36 万公顷,已达人工林面积的 10.36%;1977 年,桉树面积仅 4.32 万公顷,2005 年与 1977 年比较,桉树人工林面积增长 1135.9%。近几年随着林浆纸一体化项目的实施及胶合板产业发展对桉树木材资源需求的大幅增长,桉树人工林的面积还在不断增长。

历次清查期云杉面积变化,见图 2-15。

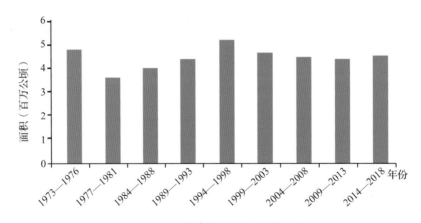

图 2-15　历次清查期间云杉林面积

云杉是我国特有的森林树种,地理分布北至我国最北端、南至北回归线附近、东至长白山、西至我国与塔吉克斯坦边境。我国云杉林分布区跨越了亚热带季风气候、温带季风气候、温带大陆性气候和高山气候 4 个气候区(李贺等,2012)。目前,云杉已成为亚高山主要造林更新树种,人工栽培范围大大超过天然林的水平分布与垂直分布范围,如云南中甸、四川木里、峨边、石棉等地均采用过云杉作为更新树种。在岷江冷杉的采伐迹地上，云杉则是主要更新树种，目前内蒙古、湖南、浙江、云南、新疆等省份也有引种（马明东，2008）。由图2-15可知，各次清查期间的云杉面积先是下降，后是上升，然后又开始下降，之后又平稳的复杂变化过程。最低点出现在第二次清查期间，为$3.47×10^6$公顷，最高值出现在第五次清查期间，为$5.07×10^6$公顷。第五次清查期云杉面积最高，这可能是因为调查标准的变化引起的。

历次清查期柏木面积变化，见图2-16。

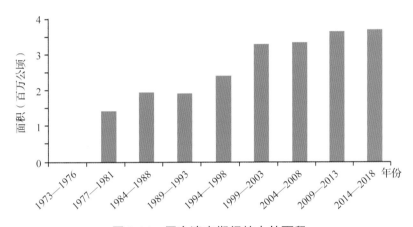

图2-16　历次清查期间柏木林面积

柏木是我国特有的珍贵树种，材质优良、适应性广，也是重要的生态树种，在林业建设中占有十分重要的地位。柏木适应性很强、生长速度较快。它适生于温暖湿润的气候条件，自然分布在海拔高度1800米以上。在年平均气温13~19℃、年降水量1000毫米的区域内，生长最佳；在中性、微酸及钙质土上均能正常生长；耐瘠薄，尤其是在土层较浅的钙质紫色土和石灰质土壤上常形成纯林。

由图2-16可以看出，从第二次到第九次清查期间期间，柏木林的面积逐步增长，从第二次清查的$1.34×10^6$公顷增加到第九次的$3.71×10^6$公顷；从第五次到第六次清查期柏木林的面积增加幅度最大，增幅为$0.89×10^6$公顷。从第六次清查期间后，柏木林面积变化较趋于平稳（丰炳财，2005）。

（2）主要优势树种蓄积量结构。乔木林按优势树种（组）统计，面积比重前 10 位的有栎类、桦树、杉木、落叶松、马尾松、杨树、云南松、桉树、云杉、柏木，各时期的蓄积量见表 2-4。历次清查期各树种蓄积量变化情况，如图 2-17 至图 2-26。

表 2-4　主要优势树种蓄积量时间动态变化

×10⁶ 立方米

清查期 树种	第一次 （1973— 1976 年）	第二次 （1977— 1981 年）	第三次 （1984— 1988 年）	第四次 （1989— 1993 年）	第五次 （1994— 1998 年）	第六次 （1999— 2003 年）	第七次 （2004— 2008 年）	第八次 （2009— 2013 年）	第九次 （2014— 2018 年）
栎类		465.45	1101.97	1208.69	1335.79	1321.40	1208.41	1294.56	1418.32
桦木		308.69	600.36	672.09	775.52	845.70	799.46	917.50	922.85
杉木	204.36	237.34	268.52	342.65	473.57	734.82	734.09	726.02	852.02
落叶松	713.44	1000.20	940.07	871.97	940.89	920.55	955.22	1001.26	1122.96
马尾松	520.12	485.56	407.19	430.21	558.70	671.68	587.88	591.00	626.06
杨树		107.11	246.21	281.79	359.30	425.97	549.39	623.84	612.41
云南松	463.09	431.76	253.81	240.12	279.16	518.23	468.72	502.28	501.01
桉树		6.33	4.09	8.16	13.94	19.37	45.81	160.36	215.63
云杉	1172.21	904.13	904.63	1126.71	1279.08	1038.15	1001.60	998.99	972.66
柏木		44.99	55.69	67.62	84.05	147.11	163.06	199.72	232.03

历次清查期栎类林蓄积量变化，见图 2-17。

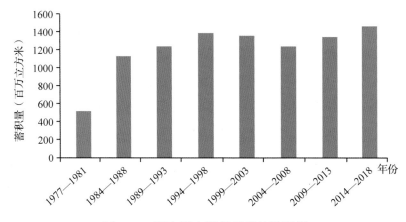

图 2-17　历次清查期间栎类林蓄积量

由图 2-17 可知，栎类林蓄积量总体上呈现先增长后减少的趋势，以第二次清查期间蓄积量最小，为 465.45×10⁶ 立方米，第九次清查蓄积量最大，为 1418.32×10⁶ 立方米，并在第三次清查期后，栎类林的森林蓄积量总体变化较小，趋于持平态势。栎类森林蓄积量从第二次清查到第三次清查有一个快速增加的过程，这是因为在第三次清查期间，普遍重视调查质量，多数省份都设置专职检查人员；在调查方法上，调查单位根据实际情况采用合适的方法和技术，如外业小班采用照片数量化现地检查的方法，总体资源采用分层设置样地控制法，内业计算采用在外业中将计算数据输入计算机，外业结束后即提供数据统计资料的内外业同步工作法等，这些方法和技术，有效地提高了工作效率，保证了工作质量，缩短了调查周期，增强了调查结果的准确性和精确性(《中国林业统计年鉴(1987)》)，使得第三次清查期间比第二次清查的栎类林蓄积量增加显著，并在以后的历次清查中蓄积量的变化较小，变化的趋势基本上趋于平稳。

历次清查期桦木蓄积量变化，见图 2-18。

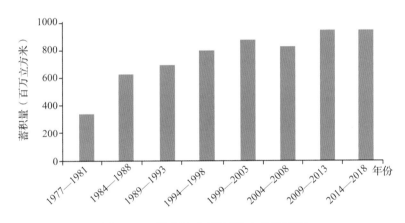

图 2-18　历次清查期间桦木林蓄积量

由图 2-18 可知，桦木林的蓄积量总体表现为逐渐增加的变化特征，从第二次至第六次清查期桦木蓄积量一直呈现增长的趋势，从 308.69×10⁶ 立方米增加到 845.70×10⁶ 立方米，并以第二次到第三次清查期桦木林的蓄积量的增长最为显著；第七次清查的蓄积量略微减少，之后第八次和第九次清查的桦木林蓄积量又显著增加。桦木林蓄积量在第三次清查期显著增加，这与第三次清查时采用新方法、新技术，清查更加严谨，注重质量有关(《中国林业统计年鉴(1987)》)。同时，桦木林蓄积量的变化也与桦木面积的变化存在因果关系，蓄积量会因为桦木林面积的变迁而变化，桦木林的面积也决定着其蓄积量。

历次清查期杉木蓄积量变化，见图 2-19。

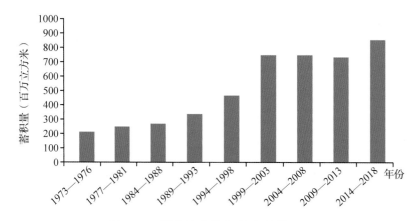

图 2-19　历次清查期间杉木林蓄积量

由图 2-19 可得，杉木蓄积量总体呈现逐步增加而后持平的态势，从第五次到第六次清查期杉木蓄积量出现陡增，增长了 $261.25×10^6$ 立方米，而后蓄积量基本处于稳定状态。这是因为杉木是我国南方重要用材树种，生长速度快，生产力稳定，素有"南方杉木、北方杨树"的美称。我国林业为新中国成立后的经济发展作做出重大贡献和牺牲，在经历"文化大革命"和乱砍滥伐的破坏后，森林资源急剧减少，老林区山区经济长期处于贫困状况，党的十一届三中全会以后，为了使我国林业有一个大的发展，党和国家确定了正确的指导思想、战略布局和经营方针，要大力造林、育林，增加森林资源，提高森林覆盖率，这是发展我国林业的根本途径；加强森林培育，增加后备资源，在自然条件优越的我国南部和平原地区，有重点地培育速生丰产林，争取尽早解决木材供需矛盾（《中国林业统计年鉴（1949—1986）》），因此，在我国南方广大地区，人们将杉木作为速生丰产林的首选，增加了杉木林的面积，加上杉木本身生长的速度又快，使得杉木的蓄积量持续增加。杉木蓄积量在第五次至第六次的清查期出现陡然增加的态势，这是因为清查标准的改变，把原来有林地郁闭度大于 0.30（不含 0.30）的规定改为郁闭度大于 0.20（含 0.20），清查标准的变化使得原来未被列为林地的地块划归为林地，使得杉木蓄积量出现大幅度增加的趋势。

历次清查期落叶松蓄积量变化，见图 2-20。

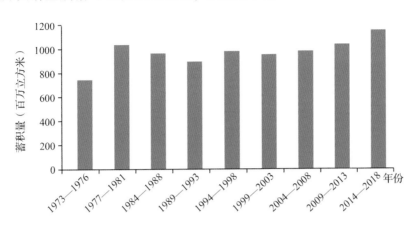

图 2-20　历次清查期间落叶松林蓄积量

由图 2-20 可见，落叶松林蓄积量呈现先增长再减少后又增加的波动，以第一次至第二次清查期的蓄积量差距最大，差值为 286.76×10^6 立方米，第九次清查的落叶松林蓄积量最大。落叶松是我国东北、内蒙古林区的主要森林组成树种，是东北地区主要三大针叶用材林树种之一，在东北地区有着广泛的分布。森林资源清查是国家为及时、准确掌握全国森林资源的现状及动态变化，以保证宏观决策需要而建立的监测体系，复查周期为 5 年，能够了解森林的生长和消耗规律，分析经营效果，预估森林资源的变化趋势。而森林的第一次清查旨在大概了解我国森林状况，从第二次清查开始使得我国在清查期间形成体系，清查数据相对准确(《中国林业统计年鉴(1949—1986)》)。在第八次清查期间，完善和扩充了调查内容，紧密结合林业改革发展与生态建设的需要，增加了集体林地经营权、造林更新状况、森林经营情况、树种资源调查、林下植被状况和林地土壤侵蚀等监测指标和调查因子；同时综合采用"3S"、PDA、数据库、模型等技术，提高了样地定位精度和复位率，增强了数据采集和校验的效率，提升了调查数据综合处理和评价能力，使得第八次和第九次清查的数据更加精确可靠(《中国林业统计年鉴(2014)》)；加上第九次清查期间天然林稳步增加，人工林快速发展，也使得落叶松林蓄积量达到历次清查的最高值。

历次清查期马尾松蓄积量变化，见图 2-21。

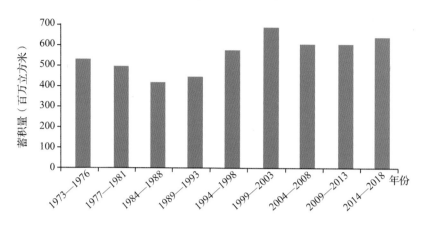

图 2-21　历次清查期间马尾松林蓄积量

从图 2-21 可知，马尾松蓄积量变化较为复杂。总的来看，呈现先下降后上升而后又下降的趋势。第一次至第三次清查期间，马尾松林蓄积量呈现逐渐下降的趋势，蓄积量由第一次清查的 520.12×10⁶ 立方米下降至第三次清查的 407.19×10⁶ 立方米；第四次至第六次清查期，呈逐渐上升的趋势，蓄积量由 430.21×10⁶ 立方米上升至 671.68×10⁶ 立方米；在第六次之后稍有下降，但基本保持稳定。马尾松是我国松树资源中分布最广、数量最多、用途广泛的主要树种之一，其经济价值相对较高。在第一次至第三次清查期间，由于山林权属不清，林权纠纷严重，森林管理粗放，盗伐乱砍现象严重，森林遭受严重破坏，森林面积和蓄积量都受到影响（《中国林业统计年鉴（1949—1986）》）。第五次清查的马尾松林蓄积量与第四清查相比，显著增加，这与第五次清查采用新标准有关。在第五次清查期间，天然林郁闭度从 0.2 开始计算，国家森林资源连续清查地类划分的最小面积为 0.067 公顷；清查要求采用统一的外业调查记录格式、调查因子编码及统计、分析程序；固定样地内的树木要求全部作为固定样本，采取固定措施；加强森林资源消长动态分析，增加成功产出；并将固定样地的防偏放在重要位置（《中国林业统计年鉴（1994）》），这些措施使得第五次清查期间，马尾松蓄积量较之第四次有较大的提升。

历次清查期杨树蓄积量变化，见图 2-22。

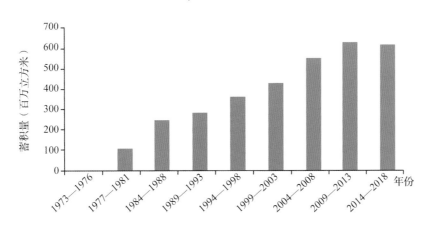

图 2-22　历次清查期间杨树林蓄积量

从图 2-22 可知，杨树蓄积量呈逐年增加趋势，从第二次清查期的
107.11×10⁶ 立方米增加到第八次清查期的 623.84×10⁶ 立方米，增加了 5.8
倍；第八次之后又有所降低，第九次在第八次的基础上减少 11.43×10⁶ 立方
米。杨树作为北方的主要造林树种，以其生长速度快、用途广泛而被大面
积种植。随着国家林业政策的调整，加强了森林资源管理，建立了林业基
金制度，抓紧建立速生丰产林基地，加强林业的行政管理和基层建设，由
采伐天然林为主转向以营林为基础(《中国林业统计年鉴(1988)》)。在华
北平原的北京、天津和河北、河南、山东、江苏等省份的平原，基于自然
条件优越、林木速生丰产、交通便利的优势建立了大面积的杨树林(《中
国林业统计年鉴(1987)》)，杨树的面积和蓄积量显著增加，导致历次清
查的杨树蓄积量呈现一直上升的趋势。

历次清查期云南松蓄积量变化，见图 2-23。

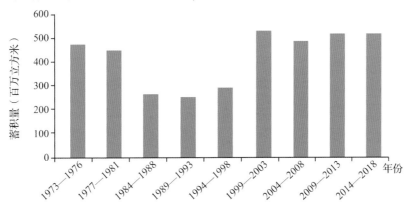

图 2-23　历次清查期间云南松林蓄积量

由图 2-23 可知,云南松森林蓄积量在 40 年中,经历了锐减而后增加的趋势。云南松林蓄积量由第一次清查期的 463.09×10⁶ 立方米降到第四次清查期的 240.12×10⁶ 立方米,下降了近 50%。之后逐步回升,由第四次清查期的 240.12×10⁶ 立方米上升到第六次清查期的 518.23×10⁶ 立方米,提高了近 216%。云南松作为西南地区常见的乡土树种,也是荒山绿化造林先锋树种,常形成大面积纯林,木材可供建筑、家具和木纤维原料等用,松根可培养茯苓,树皮可提栲胶,种子可榨油,具有较大的经济价值。新中国成立之初,为了支援战争和大规模经济建设,较多地从天然林中伐取木材,这在当时是必要的。但是由于人们在较长一段时间内没有认清森林的多种效益,没有进行造林育林,加上某些政策上的失误,导致毁林开荒、乱砍滥伐,森林资源遭受损失,破坏生态平衡(《中国林业统计年鉴(1949—1986)》),所以在第一次至第四次清查期间,云南松林蓄积量呈现出逐渐减少的趋势。而后随着人工造林面积的增加、森林管护的增强,以及清查方法的完善,使云南松林木的蓄积量呈现出逐渐增加的趋势。

历次清查期桉树蓄积量变化,见图 2-24。

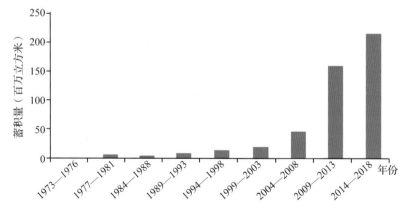

图 2-24　历次清查期间桉树林蓄积量

由图 2-24 可得,从第二次至第六次清查期期间,桉树森林蓄积量基本呈上升趋势,第三次清查期桉树蓄积量最小,为 4.09×10⁶ 立方米,但第七次、第八次清查期期间,桉树森林蓄积量增加较快,第七次杉木蓄积量是第六次的近 3.5 倍,第八次清查期蓄积量为第三次清查期的 40 倍,第九次清查期蓄积量是第三次清查期的 52.66 倍。桉树作为一种高大速生乔木，其价值一直未被发掘，所以桉树的蓄积量的变化在前几次的清查中一直很小，且增长缓慢。直到近些年，在对桉树的生态作用研究中发现其光合作用最强、生长速度最快、固碳能力最强，因此，在森林碳中和过程中发挥重要作用。此后，桉树被广泛种植于我国南方的热带、亚热带地区，种植面积大幅度增加，加上桉树生长速度的提高，使得桉树的蓄积量在第七、八次的清查中增长较快。

历次清查期云杉蓄积量变化，见图 2-25。

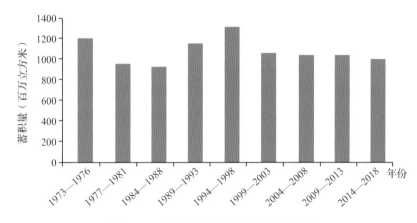

图 2-25　历次清查期间云杉林蓄积量

由图 2-25 可得，各次清查期间的云杉蓄积量呈现出先下降后上升，然后又下降，之后趋于平稳的复杂变化过程。云杉林蓄积量最低点出现在第二次清查期间，为 904.13×10^6 立方米；最高值出现在第五次清查期间，为 1279.08×10^6 立方米。林业为我国经济的发展作出重大贡献和牺牲，在经历"文化大革命"和乱砍滥伐的破坏后，我国森林资源急剧减少(《中国林业统计年鉴(1949—1986)》)，使得在第二次清查期间云杉林蓄积量最小。在第五次清查时，云杉林蓄积量最大，这是因为在第五次清查期间，天然林郁闭度从 0.2 开始计算，国家森林资源连续清查地类划分的最小面积为 0.067 公顷(《中国林业统计年鉴(1994)》)，这些依据的改变使得云杉林的面积增大，蓄积量增多，使得第五次清查时云杉林的蓄积量最大。

历次清查期柏木蓄积量变化，见图 2-26。

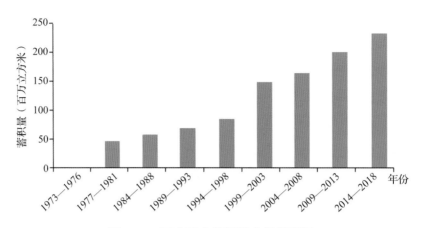

图 2-26 历次清查期间柏木林蓄积量

由图 2-26 可知,在历次清查中,柏木林的蓄积量呈现连续增加的趋势,第二次清查蓄积量最小,为 44.99×10^6 立方米;第二次至第五次蓄积量变化较明显,第五次至第六次差距较大,差值为 63.06×10^6 立方米;第六次之后变化较明显,第九次清查蓄积量最大,为 232.03×10^6 立方米。柏木林蓄积量的变化主要是因为柏木林面积的逐步增加,在历次清查中,柏木林的面积呈现逐渐递增的趋势,从而使得柏木的蓄积量也相应的逐渐增加。

2. 龄级结构

(1)历次清查期不同龄级面积结构。根据生物学特性、生长过程及森林经营要求,将乔木林按年龄阶段划分为幼龄林、中龄林、近熟林、成熟林和过熟林,各时期不同年龄组的森林面积见表 2-5。历次清查期各林龄组面积变化情况,如图 2-27 至图 2-31。

表 2-5 不同年龄组面积时间动态变化

百万公顷

类型 \ 清查期	第一次(1973—1976 年)	第二次(1977—1981 年)	第三次(1984—1988 年)	第四次(1989—1993 年)	第五次(1994—1998 年)	第六次(1999—2003 年)	第七次(2004—2008 年)	第八次(2009—2013 年)	第九次(2014—2018 年)
幼龄林	5.67	33.45	31.52	41.33	48.76	47.24	52.62	53.32	58.78
中龄林	19.24	34.74	27.14	36.13	45.40	49.64	52.01	53.12	56.26
近熟林	—	—	7.21	11.06	14.80	19.99	23.05	25.83	28.61
成熟林	49.75	27.44	10.68	12.69	16.48	17.15	18.71	21.76	24.68
过熟林	—	—	3.51	7.42	6.95	8.77	9.19	10.58	11.56
小计	74.65	95.62	80.07	108.64	132.41	142.79	155.59	164.60	179.89

历次清查期幼龄林面积变化，见图 2-27。

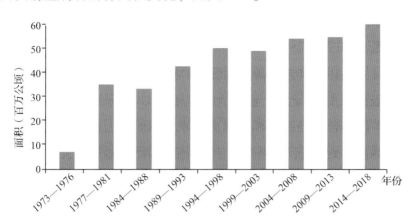

图 2-27 历次清查期间幼龄林面积

从图 2-27 可以看出，幼龄林面积总体呈现出先增长再减少后又增加的趋势，从第二次清查至第三次清查，幼龄林的面积逐渐减少，以第三次清查期间幼龄林面积最小，为 31.52×10^6 公顷，之后历次清查的幼龄林的面积较之第三次都有大幅度增加。在历次的清查中，以第九次的清查面积最大，为 58.78×10^6 公顷。幼龄林面积在第三次的清查中呈现减少的趋势，这是因为在这段清查期间，人们没有理解到森林的多种效益，没有突出造林育林，加上某些政策上的失误，导致毁林开荒，乱砍滥伐，使得幼龄林的面积逐渐减少(《中国林业统计年鉴(1949—1986)》)。从第四次清查开始，幼龄林的面积一直呈现增加，并逐步趋于平稳的变化。

历次清查期中龄林面积变化，见图 2-28。

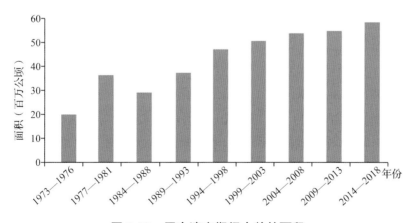

图 2-28 历次清查期间中龄林面积

从图 2-28 可以看出，中龄林面积总体呈现出先增加后减少而后又增加的趋势，在第三次清查期间中龄林面积又突然减少，之后又连续增加。中龄林面积从第三次清查到第九次清查逐渐增加，这是因为从第二次清查开始我国清查期间形成体系，清查数据相对准确(《中国林业统计年鉴(1949—1986)》)，使得中龄林的面积增加。从第二次清查至第三次清查中，中龄林的面积呈现减少的趋势，这是因为在第三次清查期间，社会对木材及其产品的需求已超过当时森林资源的承受能力，加上造林速度慢，资源管理失控，使得成熟林、过熟林过快的消耗，并投入了对中龄林的消耗(《中国林业统计年鉴(1988)》)，使得中龄林面积减少。从第四次清查开始一直到第九次清查期间，中龄林的面积呈现逐渐增加的趋势，并逐渐趋于稳定。

历次清查期近熟林面积变化，见图 2-29。

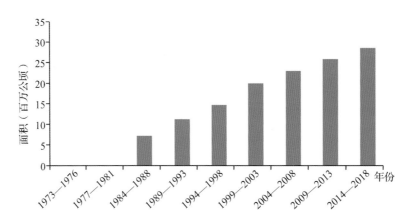

图 2-29　历次清查期间近熟林面积

从图 2-29 可以看出，近熟林面积呈现出逐渐增加的趋势，从第三次清查一直至第九次清查，近熟林的面积一直呈现出增加的趋势。从第四次清查期开始我国开始由采伐天然林为主转向以营林为主，加强人工林建设，加快森林培育，加强森林保护，强化林企管理，合理利用资源(《中国林业统计年鉴(1989)》)，使得近熟林面积逐渐增加。

历次清查期成熟林面积变化，见图 2-30。

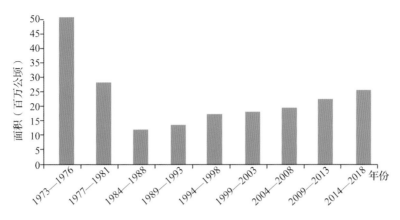

图 2-30　历次清查期间成熟林面积

从图 2-30 可以看出，在历次清查中成熟林的面积呈现出先减少后增加的趋势。从第一次清查到第三次清查期，成熟林的面积一直呈现出减少的趋势，从第四次清查到第九次清查期，成熟林的面积一直呈现增加的趋势；整个清查期以第三次清查的成熟林的面积最小，为 10.68×10^6 公顷，以第一次清查期成熟林的面积最大，为 49.75×10^6 公顷。从第二次清查到第三次清查期，成熟林的面积逐渐减少，这是因为在前三次清查期间，人们对木材及其产品的需求强烈，使得成熟林面积急剧减少的趋势。从第四次清查开始，成熟林面积逐渐增加。

历次清查期过熟林面积变化，见图 2-31。

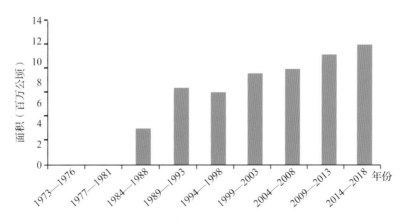

图 2-31　历次清查期间过熟林面积

从图 2-31 可以看出，从第三次清查到第九次清查期，过熟林的面积总体呈现增加的趋势，这与我国逐渐建立的森林和野生动物类型自然保护区，加强林政管理，严格控制木材的消耗有关(《中国林业统计年鉴

（1989）》）。

（2）历次清查期不同龄级蓄积量的结构。在历次清查期，不同龄级，即幼龄林、中龄林、近熟林、成熟林和过熟林，各时期不同年龄组的森林蓄积量见表 2-6。历次清查期各林龄组蓄积量变化情况，如图 2-32 至图 2-36。

表 2-6　不同年龄组蓄积量动态变化

亿立方米

清查期 类型	第一次 （1973— 1976 年）	第二次 （1977— 1981 年）	第三次 （1984— 1988 年）	第四次 （1989— 1993 年）	第五次 （1994— 1998 年）	第六次 （1999— 2003 年）	第七次 （2004— 2008 年）	第八次 （2009— 2013 年）	第九次 （2014— 2018 年）
幼龄林	5.67	7	8.54	10.23	13.7	12.85	14.88	16.3	21.39
中龄林	19.24	26.87	19.28	26.6	30.94	34.26	38.61	41.06	48.21
近熟林	—	—	7.68	12.21	14.44	22.46	26.5	30.34	35.14
成熟林	49.75	45.92	18.49	22.04	29.23	30.17	31.59	35.64	40.11
过熟林	—	—	7.74	19.79	20.77	21.25	22.05	24.45	25.72
小计	74.66	79.79	61.73	90.87	109.08	120.98	133.63	147.79	170.58

历次清查期幼龄林蓄积量变化，见图 2-32。

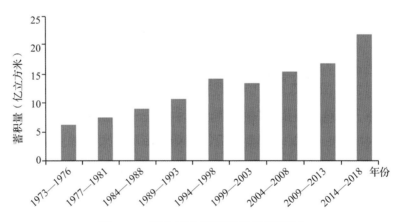

图 2-32　历次清查期间幼龄林蓄积量

从图 2-32 可以看出，在历次清查期幼龄林的蓄积量总体呈现增加的趋势，只是在第六次清查时有略微的下降。幼龄林的蓄积量一直呈现增加的趋势与国家为尽早解决木材的供需矛盾，有重点地培育速生丰产林，实施人工林丰产林基地建设有关（《中国林业统计年鉴（1949—1986）》）。

历次清查期中龄林蓄积量变化，见图 2-33。

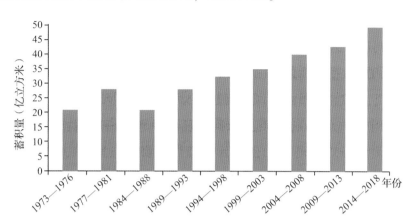

图 2-33　历次清查期间中龄林蓄积量

从图 2-33 可以看出，在历次清查期，中龄林的蓄积量总体呈现增加的趋势，但在第三次清查期出现减少的现象。中龄林的蓄积量一直呈现增加的趋势是因为中龄林面积的逐渐增加，中龄林的管护和抚育得到加强，森林的结构类型更加合理，林分更加健康，森林生态系统更加稳定，中龄林蓄积量逐渐得到增加。在第三次清查期，中龄林蓄积量出现减少的现象，这是因为在第三次清查期间，社会对木材及其产品的需求已超过当时森林资源的承受能力，加上造林速度慢，资源管理失控，使得成熟林、过熟林过快的消耗，进而造成对中龄林的消耗，使得中龄林蓄积量减少。

历次清查期近熟林蓄积量变化，见图 2-34。

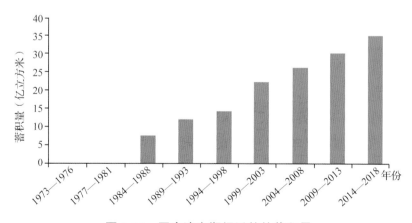

图 2-34　历次清查期间近熟林蓄积量

从图 2-34 可以看出，从第三次到第九次的清查期，近熟林的蓄积量呈现一直增加的趋势，以第三次的蓄积量最小，为 7.68 亿立方米，以第九次的蓄积量最大，为 35.14 亿立方米。森林蓄积量呈现一直增加的趋势，这与近熟林面积的逐步增加，以及对近熟林的保护加强有关。

历次清查期成熟林蓄积量变化，见图 2-35。

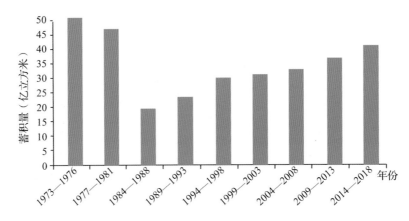

图 2-35　历次清查期间成熟林蓄积量

从图 2-35 可以看出，在历次清查期，成熟林的蓄积量呈现先减少而后增加的规律，以第三次的蓄积量最小，为 18.49 亿立方米，以第一次的蓄积量最大，为 49.75 亿立方米。成熟林蓄积量在第二次至第三次清查期呈现一直下降的趋势，这是由于为了支援我国大规模的经济建设，较多地从天然林中伐取成熟林木材（《中国林业统计年鉴（1949—1986）》），使得成熟林的蓄积量出现下降。从第四次清查开始，成熟林蓄积量逐渐增加，这与该时期我国开始由采伐天然林为主转向以营林为主，加快森林培育，加强森林保护有关（《中国林业统计年鉴（1989）》）。

历次清查期过熟林蓄积量变化，见图 2-36。

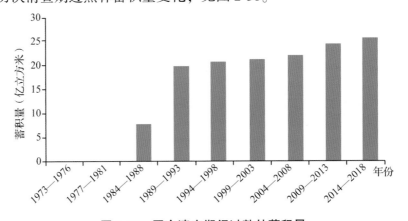

图 2-36　历次清查期间过熟林蓄积量

从图 2-36 可以看出，在第三次到第九次清查期，过熟林的蓄积量呈现逐渐增加的趋势，以第三次的蓄积量最小，为 7.74 亿立方米，以第九次的蓄积量最大，为 25.72 亿立方米。

（3）历次清查期不同龄级面积比例。历次清查期不同龄级面积所占比例见图 2-37。

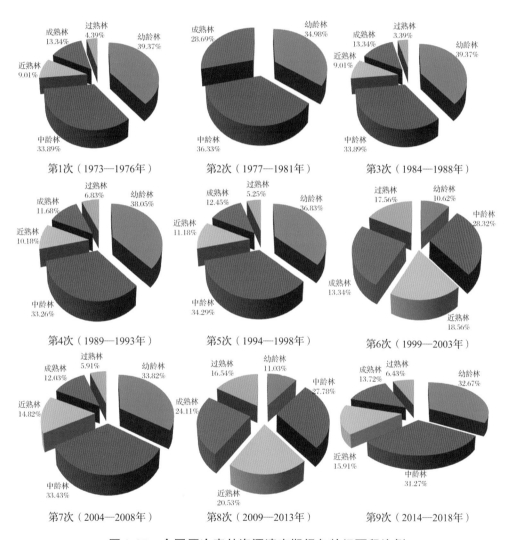

图 2-37　全国历次森林资源清查期间各龄组面积比例

从图 2-37 可以看出，全国各清查期间不同龄组面积比例变化较大。第一次到第二次清查期龄组较为均匀。第三次至第五次成熟龄组面积锐减，与这一时期林业政策有关，将森林作为"取之不尽，用之不竭"的资源，大量成熟资源遭到破坏。第六次至第七次清查期幼龄林面积剧增，中龄林资源也出现增长，主要原因是我国实施了退耕还林（草）、速生丰产林工程等重点林业生态工程。第八次和第九次清查期，各林龄结构趋于合理。

（4）历次清查期不同龄级蓄积量结构。历次清查期不同龄级蓄积量所占比例见图 2-38。

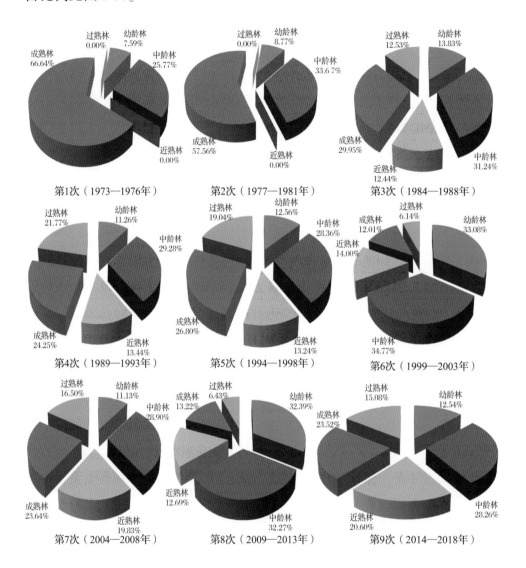

图 2-38　全国历次森林资源清查期间各龄组蓄积量比例

从图 2-38 可以看出，全国各期清查期间不同龄组蓄积量比例变化较大。前期成熟林资源占绝对优势，第二次清查期成熟林资源占 57.56%，到第九次清查期成熟林资源仅占 23.52%。

3. 林种结构

（1）历次清查期不同林种面积结构。根据《中华人民共和国森林法》，森林划分为防护林、用材林、经济林、薪炭林和特种用途林(简称特用林)。历次清查期不同林种面积比例见图 2-39。

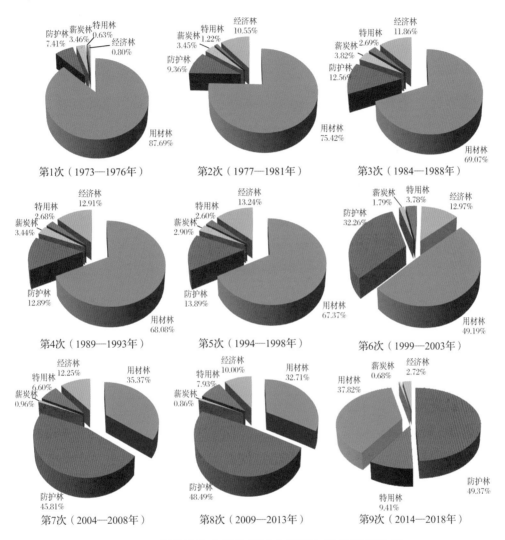

图 2-39　全国历次森林资源清查期间各林种面积比例

由图 2-39 可知，各林种面积比例变化较大，主要表现在用材林面积锐减，由第一次清查期的 87.69% 降到第九次清查期的 37.82%。与此同时，防护林面积急剧增加，由第一次清查期的 7.41% 猛增到第九次清查期的 49.37%。说明我国对森林多种效益日益重视，而且三北及长江流域等重点防护林体系工程和天保工程大大地提高了防护林的面积，为维护我国生态环境安全起到了非常重要的作用。

(2)历次清查期不同林种蓄积量结构。历次清查期不同林种蓄积量比例见图 2-40。

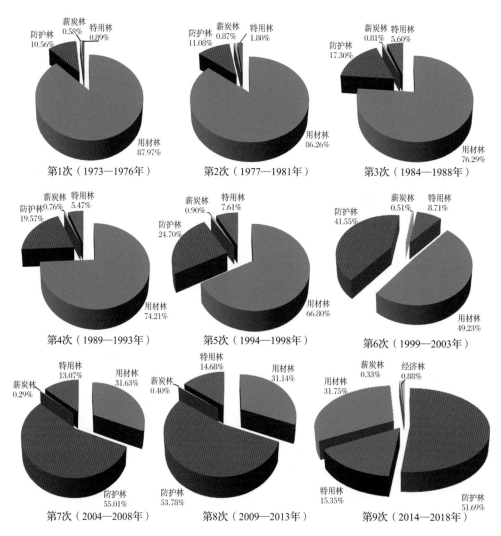

图 2-40　全国历次森林资源清查期间各林种蓄积量比例

由图 2-40 可知，各林种蓄积量比例变化较大，主要表现在用材林蓄积量锐减，由第一次清查期的 87.97% 降到第九次清查期的 31.75%。与此同时，防护林蓄积量急剧增加，由第一次清查期的 10.56% 猛增到第九次清查期的 51.69%，防护林蓄积量所占比重大幅度提升主要是因为三北及长江流域等重点防护林体系工程和天保工程的实施。另外，防护林蓄积量增长幅度大于其面积增长幅度的原因是防护林大部分分布在大江大河的源头或者上游，这些区域多是地势险要、人迹罕至的区域，所有这些区域保留了森林质量较好的原始林或者天然次生林，因而防护林的蓄积量会随着面积的增加而迅速提升。

第二节　森林资源空间尺度变化

一、数量格局

第一次清查期我国森林面积格局，如图 2-41 所示。第一次清查期，森林面积较少，分布极不均匀。主要集中在东北及西南地区。黑龙江林地面积最大，为 2508 万公顷。

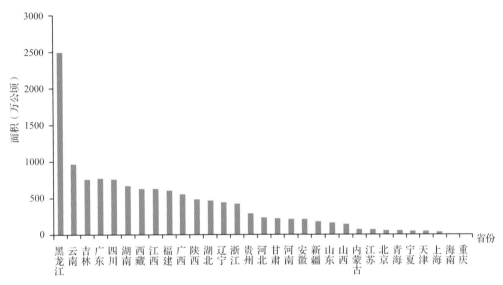

图 2-41　全国第一次清查期间森林面积分布

第二次清查期我国森林面积格局，如图 2-42 所示。第二次清查期(仅限于 1979—1981 年)，森林面积发展较快，特别是在东北区域，这与我国的三北防护林工程建设密不可分。在此清查期间，我国国营造林面积为 207.65 万公顷，内蒙古自治区、黑龙江省和安徽省造林面积最大，其所占比例分别为 16.88%、18.39% 和 11.46%。期间实施的林业生态工程只有三北防护林工程，其造林面积为 42.95 万公顷，占全国造林面积的 20.68%。另外，三北防护林工程造林面积(42.95 万公顷)主要集中在内蒙古自治区、吉林省和陕西省，所占比例分别为 48.50%、10.15% 和 15.63%。

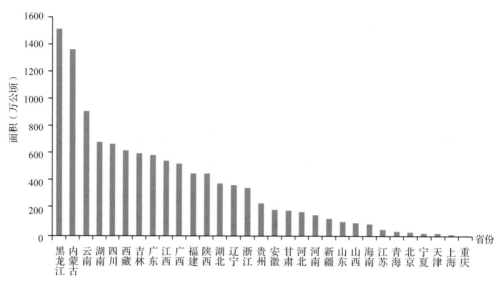

图 2-42　全国第二次清查期间森林面积分布

第三次清查期我国森林面积格局，如图 2-43 所示。第三次清查期，森林面积在全国范围普遍增加，东北、西南发展速度较快。黑龙江森林面积最大，已发展到 1561.52 万公顷。在此清查期间，我国国营造林面积为 415.49 万公顷，造林面积主要集中在内蒙古自治区、黑龙江省和广东省，所占比例分别为 11.47%、18.29%、9.99%。期间实施的林业生态工程只有三北防护林工程，其造林面积为 174.51 万公顷，占全国造林面积的

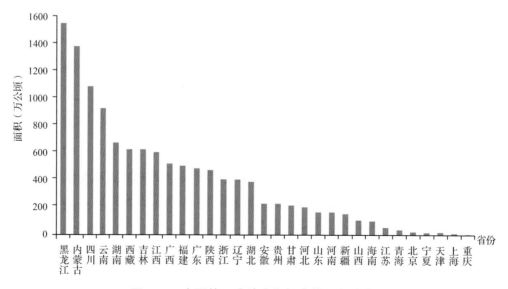

图 2-43　全国第三次清查期间森林面积分布

41.70%，这一比例明显高于第二次清查期间。另外，三北防护林工程造林面积主要集中在内蒙古自治区、陕西省和甘肃省，所占比例分别为 27.80%、15.00% 和 12.82%。

第四次清查期我国森林面积格局，如图 2-44 所示。第四次清查期，森林面积在全国范围普遍增加，东北、西南发展速度继续较加快。黑龙江省、内蒙古自治区和四川省位居前三。第四次清查期间，我国造林面积总量达到了 2054.21 万公顷，相当于同期森林面积的 15.36%。由于本次清查期间开始，有多项林业生态工程陆续开始实施，并且由于每个林业生态工程的实施区域不同，使得各省份造林面积都大幅度增加，例如各省份造林面积所占全国比例在 7% 左右的主要有河北省、内蒙古自治区、江西省、湖南省、广西省和四川省。1989—1993 年间，我国实施的林业生态工程包括沿海防护林工程、长江中上游防护林工程、速生丰产林工程、平原绿化工程、太行山绿化工程、防沙治沙工程和三北防护林工程，总造林面积为 1322.48 万公顷，占同期造林面积的 64.40%。每项生态工程的造林面积分别占生态工程造林面积的 4.96%、16.01%、1.95%、22.01%、7.29%、1.00%、46.78%。

其中，沿海防护林工程造林面积（65.60 万公顷）主要集中在辽宁省、广东省和广西壮族自治区，分别占该项工程造林面积的 20.86%、24.35% 和 20.57%；长江中上游防护林工程造林面积（311.69 万公顷）主要集中在

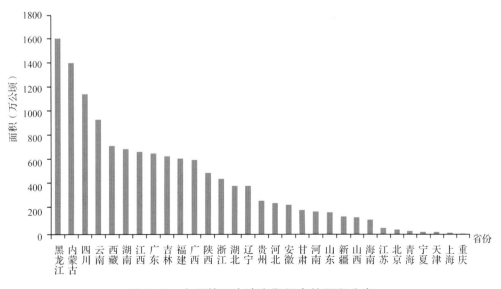

图 2-44　全国第四次清查期间森林面积分布

江西省、四川省和陕西省，分别占该项工程造林面积的 18.79%、19.76% 和 17.13%；速生丰产林工程造林面积（25.75 万公顷）主要集中在福建省、江西省和广西壮族自治区，分别占该项工程造林面积的 10.76%、12.23% 和 11.46%；平原绿化工程造林面积（291.11 万公顷）主要集中在山西省、内蒙古自治区和陕西省，分别占该项工程造林面积的 11.01%、16.58% 和 11.25%；三北防护林工程造林面积（618.69 万公顷）主要集中在河北省、内蒙古自治区和陕西省，分别占该项工程造林面积的 14.40%、26.04% 和 13.65%。

第五次清查期我国森林面积格局，如图 2-45 所示。第五次清查期，森林面积在全国范围普遍增加，东北、西南发展速度继续较加快。黑龙江省、内蒙古自治区、四川省及云南省名列前茅。此次清查期间，我国总造林面积为 1404.76 万公顷，占同期森林面积的 8.84%。各省份造林面积占全国总造林面积比例在 10% 以上的有河北省、山西省、内蒙古自治区和陕西省，以上四省份的造林面积达到 725.84 万公顷。期间我国实施的林业生态工程有辽河防护林工程、黄河中上游防护林工程、珠江防护林工程、淮河太湖防护林工程、沿海防护林工程、长江中上游防护林工程、速生丰产林防护林工程、平原绿化工程、太行山绿化工程、防沙治沙工程和三北防护林工程，其造林面积分别占生态工程造林面积的 0.87%、3.06%、0.68%、1.04%、3.19%、17.23%、6.95%、1.65%、13.39%、6.50% 和

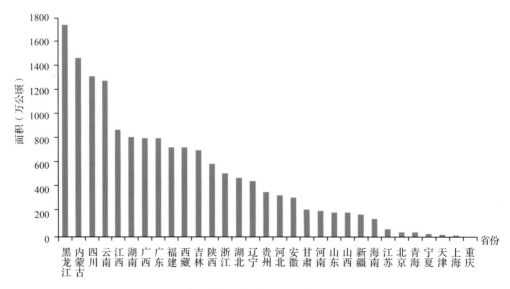

图 2-45　全国第五次清查期间森林面积分布

45.44%。从以上数据中可以看出，三北防护林工程、长江中上游防护林工程和太行山绿化工程所占比例较大。

其中，防护林体系建设工程实施的范围较广，其造林面积(309.63 万公顷)主要集中在河南省、湖北省、四川省、云南省和陕西省，其造林面积分别占全国该项工程造林面积的比例均在 7% 以上；速生丰产林工程(98.53 万公顷)造林面积主要集中在河北省、安徽省、江西省、湖北省和四川省，分别占该项工程造林面积的比例均在 6% 以上；平原绿化工程和太行山绿化工程的造林面积(200.17 万公顷)主要集中在山西省，占到了该两项工程总造林面积的 50% 以上，其次为河北省，所占比例也在 1/4 以上；防沙治沙工程的造林面积(92.08 万公顷)主要集中在内蒙古自治区，占到了该两项工程总造林面积的 1/3 以上，处于西部风沙区的省份造林面积占到了 50% 以上；三北防护林工程的造林面积(644.11 万公顷)主要集中在河北省、山西省、内蒙古自治区和陕西省，分别占该项工程造林面积的 17.36%、13.31%、24.77% 和 12.36%。

第六次清查期我国森林面积格局，如图 2-46 所示。第六次清查期，森林面积在全国范围普遍增加，东北、西南发展速度继续较加快。本次清查期间，我国造林面积达到了 2833.13 万公顷，占同期森林面积的 16.20%，其造林面积主要集中在河北省、内蒙古自治区、四川省和陕西省，占全国造林面积的比例均在 7% 以上。从本次清查期间开始，我国正

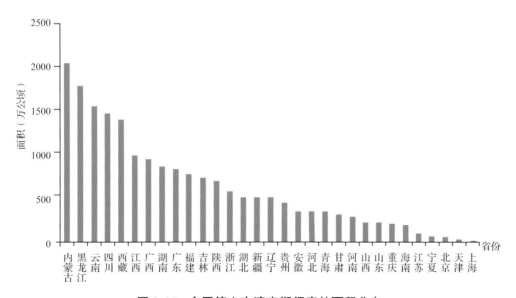

图 2-46 全国第六次清查期间森林面积分布

式实施六大林业生态工程。经查询相关统计资料，天保工程、退耕还林工程、三北及长江中上游等防护林工程、京津风沙源治理工程和速生丰产林工程的造林面积占总生态工程造林面积的比例分别为 10.18%、34.49%、16.64%、38.24% 和 0.46%。

其中，天保工程的造林面积主要集中在内蒙古自治区、四川省和陕西省，其造林面积占该项工程造林面积的比例均在 10% 以上，即为 30 万公顷以上；退耕还林工程的造林面积主要集中在内蒙古自治区、四川省、陕西省和甘肃省，其造林面积占该项工程造林面积的比例均在 6% 以上，即为 70 万公顷以上；三北及长江中上游等防护林工程的造林面积主要集中在河北省、山西省、内蒙古自治区、陕西省和新疆维吾尔自治区，其造林面积占该项工程造林面积的比例均在 7% 以上，即为 40 万公顷以上；速生丰产林工程的造林面积主要集中在湖北省、湖南省、广西壮族自治区、贵州省和云南省，其造林面积占该项工程造林面积的比例均在 10% 以上，即为 1 万公顷以上。

第七次清查期我国森林面积格局，如图 2-47 所示。第七次清查期，森林面积在全国范围普遍增加，西南、东南发展速度继续较加快。本次清查期间，我国总造林面积为 2121.51 万公顷，占同期森林面积的 10.85%，其造林面积主要集中在河北省、内蒙古自治区、四川省和云南省，占全国造林面积的比例均在 7% 以上。期间实施的林业生态工程包括天保工程、退耕还林工程、三北及长江中上游等防护林工程、京津风沙源治理工程和速生丰产林工程，其总造林面积为 1559.86 万公顷，占同期全国造林面积的 73.53%，由此可以看出，林业生态工程的实施有力地促进了我国森林面积的增长。另外，各项林业生态工程造林面积分别占生态工程总造林面积的 18.00%、53.46%、16.14%、12.09% 和 0.31%。

其中，天保工程造林面积(280.82 万公顷)主要集中在内蒙古自治区、四川省和陕西省，其造林面积分别占该项工程造林面积的 16.21%、38.46% 和 19.46%；退耕还林工程造林面积(833.96 万公顷)主要集中在内蒙古自治区、湖南省、陕西省和甘肃省，其造林面积分别占该项工程造林面积的 6.73%、7.98%、8.71% 和 8.70%；三北及长江中上游等防护林工程造林面积(251.72 万公顷)主要集中在河北省、山西省、内蒙古自治区和新疆维吾尔自治区，其造林面积分别占该项工程造林面积的 10.85%、

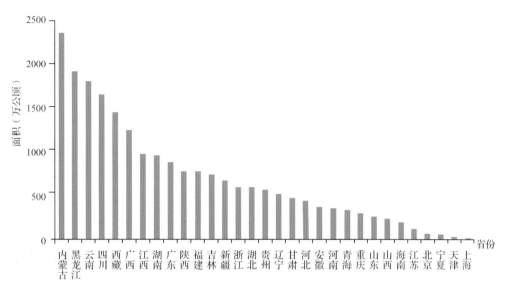

图 2-47　全国第七次清查期间森林面积分布

6.58%、6.06% 和 19.60%；京津风沙源治理工程造林面积（188.54 万公顷）主要集中在河北省、山西省和内蒙古自治区，其造林面积总和分别占该项工程造林面积的比例达 90% 以上；速生丰产林工程造林面积（4.82 万公顷）主要集中在河北省、河南省和湖南省，其造林面积分别占该项工程造林面积的 25.62%、26.36% 和 25.17%。

　　第八次清查期我国森林面积格局，如图 2-48 所示。第八次清查期，森林面积在全国范围普遍增加，内蒙古自治区森林面积最大，为 2487.90 万公顷；上海市森林面积最小，为 6.81 万公顷。本次清查期间，我国总造林面积为 2986.47 万公顷，占同期森林面积的 14.38%，其造林面积主要集中在内蒙古自治区和云南省，占全国造林面积的比例均在 10% 以上。期间实施的林业生态工程包括天保工程、退耕还林工程、三北及长江中上游等防护林工程、京津风沙源治理工程和速生丰产林工程，其总造林面积为 1668.26 万公顷，占同期全国造林面积的 55.86%，由此可以看出，林业生态工程的实施极大地促进了我国森林面积的增长。另外，各项林业生态工程造林面积分别占生态工程总造林面积的 22.45%、23.28%、38.62%、15.51% 和 0.14%。

　　其中，天保工程造林面积（374.55 万公顷）主要集中在内蒙古自治区、四川省和陕西省，其造林面积分别占该项工程造林面积的比例均在 15% 以上；退耕还林工程造林面积（388.37 万公顷）主要集中在内蒙古自治区、云南省、山西省和新疆维吾尔自治区，其造林面积分别占该项工程造林面

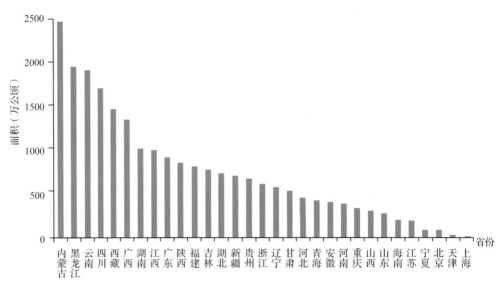

图 2-48　全国第八次清查期间森林面积分布

积的比例均在 5% 以上；三北及长江中上游等防护林工程造林面积（644.32 万公顷）主要集中在河北省、山西省、内蒙古自治区、辽宁省、黑龙江省、陕西省、甘肃省和新疆维吾尔自治区，其造林面积分别占该项工程造林面积的比例均在 5% 以上，其中内蒙古自治区和新疆维吾尔自治区还达 10% 以上；京津风沙源治理工程造林面积（258.69 万公顷）主要集中在河北省和内蒙古自治区，其造林面积分别占该项工程造林面积的比例达 90% 以上；速生丰产林工程造林面积（2.35 万公顷）主要集中在江西省，其造林面积分别占该项工程造林面积的比例达到了 70.78%，其次为河北省、黑龙江省和广西壮族自治区，这一比例均在 5% 以上。

　　第九次清查期（图 2-49），森林面积在全国范围普遍增加，内蒙古自治区、云南省和黑龙江省的森林面积最大，分别为 2614.85 万公顷、2106.16 万公顷和 1990.46 万公顷；上海市森林面积最小，为 8.90 万公顷。本次清查期间，我国总造林面积为 3541.53 万公顷，占同期森林面积的 16.07%，其造林面积主要集中在河北省、内蒙古自治区、湖南省和云南省，占全国造林面积的比例均在 10% 以上。期间实施的林业生态工程包括天保工程、退耕还林工程、三北及长江中上游等防护林工程、京津风沙源治理工程和速生丰产林工程，其总造林面积为 1762.57 万公顷，占同期全国造林面积的 49.77%，由此可以看出，林业生态工程的实施极大地促进了我国森林面积的增长。另外，各项林业生态工程造林面积分别占生态

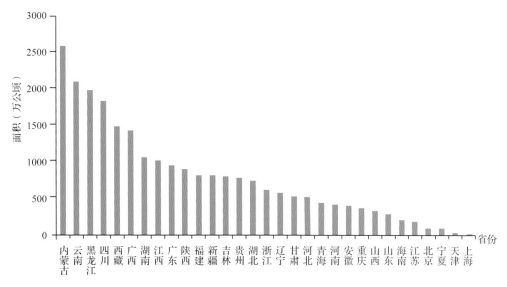

图 2-49 全国第九次清查期间森林面积分布

工程总造林面积的 33.15%、20.62%、6.11%、29.40% 和 10.71%。

其中，天保工程造林面积（584.35 万公顷）主要集中在内蒙古自治区、陕西省和云南省，其造林面积分别占该项工程造林面积的比例均在 10% 以上；退耕还林工程造林面积（363.47 万公顷）主要集中在贵州省、云南省和新疆维吾尔自治区，其造林面积分别占该项工程造林面积的比例均在 15% 以上；三北及长江中上游等防护林工程造林面积（518.18 万公顷）主要集中在内蒙古自治区、辽宁省、河北省、黑龙江省和江西省，其造林面积分别占该项工程造林面积的比例均在 5% 以上，其中内蒙古自治区达到了 11.47%；京津风沙源治理工程造林面积（107.74 万公顷）主要集中在内蒙古自治区、河北省和山西省，其造林面积均在 17 万公顷以上，这三省份合计占该项工程造林面积的比例达到了 86.83%；速生丰产林工程造林面积（188.83 万公顷）主要集中在江西省。

二、质量格局

第一次清查期我国森林质量分布格局，如图 2-50 所示。我国森林质量整体不高，西南、西北等交通欠发达区域森林质量相对较高，部分区域森林质量较低的原因，与我国新中国成立初期森林无节制开发利用有较大关系。

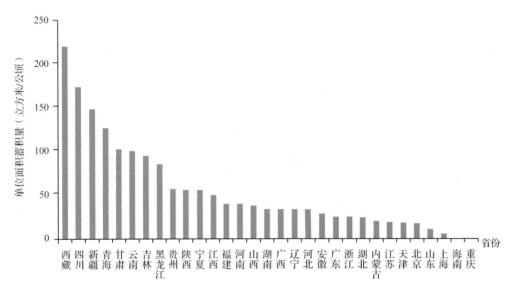

图 2-50　全国第一次清查期间单位面积蓄积量分布

第二次清查期我国森林质量分布格局，如图 2-51 所示。西南部分单位面积蓄积量明显大于其他地区，西藏自治区单位面积蓄积量仍然最大，其数值为 221.6 立方米/公顷。内蒙古自治区单位面积蓄积量较第一次有所提升。

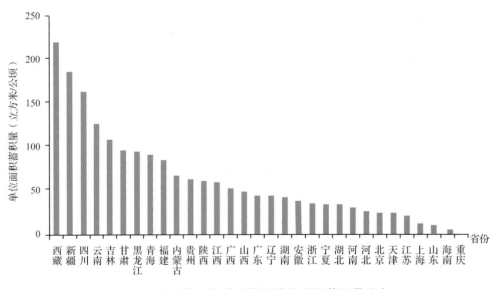

图 2-51　全国第二次清查期间单位面积蓄积量分布

第三次清查期我国森林质量分布格局，如图 2-52 所示。全国地区单位面积蓄积量总体提高。这个时期正是我国转变林业经营理念，由"采伐利用"到以经营为主的"保护利用"时期，森林质量全面提升。

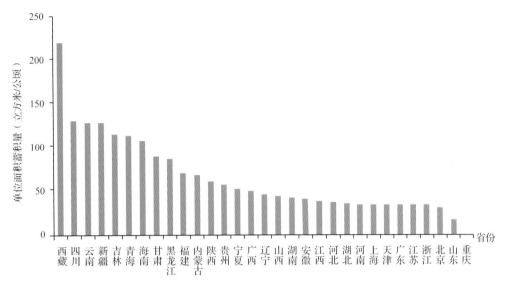

图 2-52　全国第三次清查期间单位面积蓄积量分布

第四次清查期我国森林质量分布格局，如图 2-53 所示。西南部分单位面积蓄积量明显大于其他地区，西藏自治区单位面积蓄积量有所提高。但东北、东南等地方提高较小，甚至有所下降。这次调查采用了新的有林地标准，有林地郁闭度的标准从以前的 0.30 以上（不含 0.30）改为 0.20 以上（含 0.20），与国际标准接轨，这是导致森林单位面积蓄积量下降的重要原因。

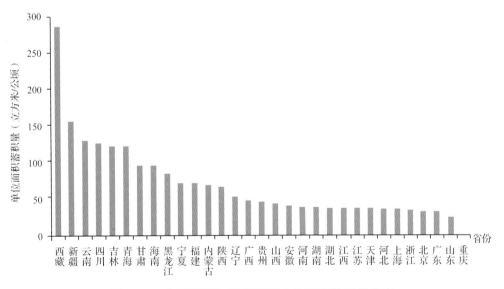

图 2-53　全国第四次清查期间单位面积蓄积量分布

第五次清查期我国森林质量分布格局，如图 2-54 所示。第五次清查期全国森林整体质量保持稳定，提高幅度较小，仍是西部地区明显高于东部地区。这个时期我国实施了多项林业重大工程，如退耕还林工程、速生丰产林工程等，这些人工林都还处于幼龄期，单位面积蓄积量较低。

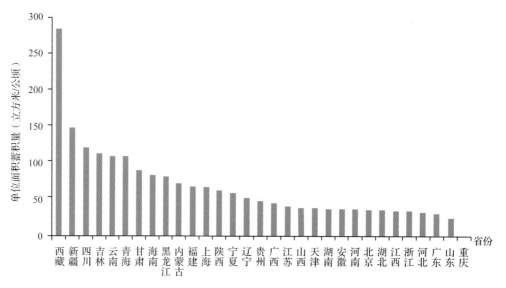

图 2-54 全国第五次清查期间单位面积蓄积量分布

第六次清查期我国森林质量分布格局，如图 2-55 所示。第六次清查期全国森林质量分布格局保持稳定，比第五次清查期有一定幅度增加，仍然西部地区高于东部地区，中原地区较低。

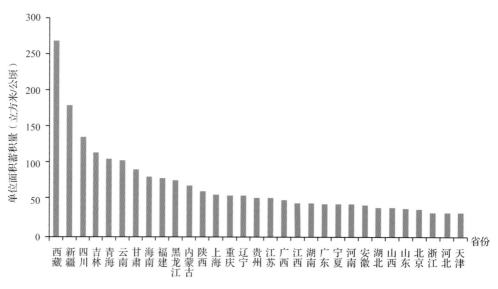

图 2-55 全国第六次清查期间单位面积蓄积量分布

　　第七次清查期我国森林质量分布格局，如图 2-56 所示。第七次清查期全国森林质量分布格局保持稳定，森林整体质量比第六次清查期有一定幅度增加，仍然西部地区高于东部地区，中原地区较低。

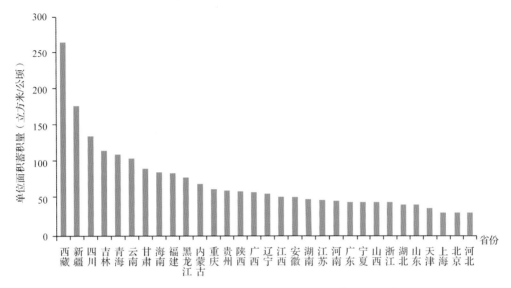

图 2-56　全国第七次清查期间单位面积蓄积量分布

　　第八次清查期我国森林质量分布格局，如图 2-57 所示。第八次清查期全国森林质量分布格局保持稳定，森林整体质量比第七次清查期有一定幅度增加，西南区域仍保持强劲增长势头，中原地区森林质量增加明显。

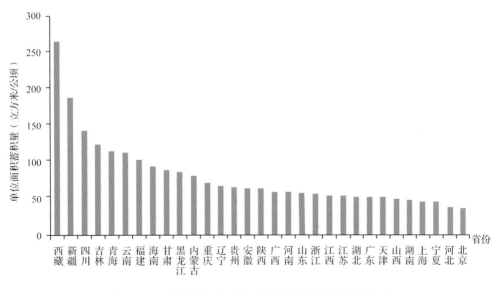

图 2-57　全国第八次清查期间单位面积蓄积量分布

　　第九次清查期我国森林质量分布格局，如图 2-58 所示。第九次清查
期全国森林质量分布格局保持稳定，单位面积蓄积量达到了较大的 94.83
立方米/公顷，森林整体质量比第八次清查期有一定幅度增加，第九次相
比第八次增加了 5.04 立方米/公顷，增幅为 5.61%，说明我国森林质量持
续提升。新疆维吾尔自治区、青海省蓄积量显著增加。

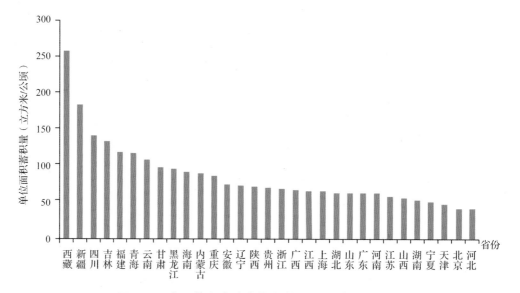

图 2-58　全国第九次清查期间单位面积蓄积量分布

第三章　全国森林生态服务功能动态变化与空间格局

新中国成立前，由于种种历史原因和自然灾害的影响，我国森林资源破坏非常严重，其总体呈现总量不足，且质量低下的局面。由此，带来了全国生态状况的不断恶化。新中国成立后，党和政府高度重视林业建设，颁布了诸多的林业政策，实施了林业生态工程，对于保护和发展森林资源起到了积极的促进作用，森林资源数量和质量不断提升。由此，我国森林资源进入了数量增长、质量提升的稳步发展时期。森林资源的变化，一定会对森林生态功能产生影响。随着我国国民经济的不断发展，保护和发展森林资源也随着国家经济建设的需要发生了改变。在林业可持续发展战略的指导下，我国林业经营的目的已从木材利用为主，转变为了木材利用的同时要兼顾生态效益的发挥。

进入 21 世纪，尤其是党的十八大以后，我国政府提出了构建生态文明制度，其中把自然生态系统的生态效益列入了国民经济核算体系。同时，还要求提高生态产品的产能。森林作为陆地生态系统的主体，其生态系统功能的发挥，对于生态文明制度建设至关重要。本章将对我国森林生态功能动态变化的驱动力进行分析。

第一节　全国尺度评估

由于我国森林资源数量和质量在不断提升，由此带来了森林生态服务功能的日趋增强(图 3-1)。第七次森林资源清查期间(2004—2008 年)，全国森林生态系统服务功能价值量为 10.01 万亿元/年，相当于 2008 年全国 GDP(31.68 万亿元)的 31.60%；第八次森林资源清查期间(2009—2013 年)的价值量为 12.68 万亿元/年，相当于 2013 年全国 GDP(58.80 万亿元)的 21.56%；第九次森林资源清查期间(2014—2018 年)的价值量为 15.88 万亿元/年，相当于 2018 年全国 GDP(90.03 万亿元)的 17.64%。第七次至第九次森林资源清查期间，全国森林生态系统服务功能价值量增长幅度分别为26.67%和25.24%。

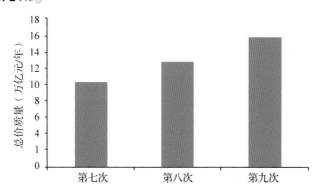

图 3-1　全国森林生态系统服务功能价值量

历次评估期间，各省份生态系统服务功能价值量排序如图 3-2 所示，第七次森林资源清查期间，位列全国前十位的为四川、云南、黑龙江、广西、内蒙古、广东、西藏、江西、湖南和福建，其占全国森林生态系统服务功能价值量的比例为 69.28%；第八次森林资源清查期间，位列全国前十位的为云南、四川、黑龙江、广西、内蒙古、广东、西藏、江西、湖南和福建，其占全国森林生态系统服务功能价值量的比例为 66.36%；第九次森林资源清查期间，位列全国前十位的为云南、四川、黑龙江、内蒙古、广西、广东、湖南、西藏、江西和福建，其占全国森林生态系统服务功能价值量的比重为 62.39%。

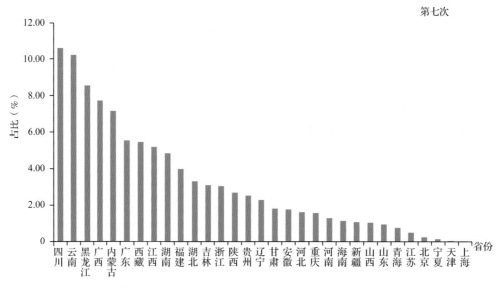

图 3-2　第七、八、九次森林资源清查期间各省份价值量排序（一）

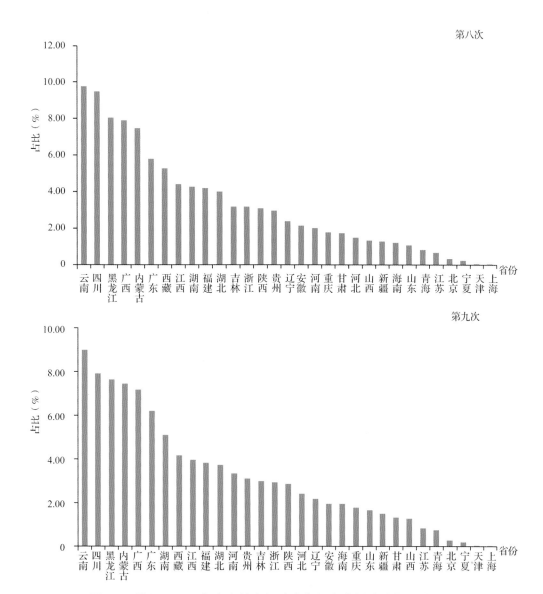

图 3-2　第七、八、九次森林资源清查期间各省份价值量排序(二)

第七次至第九次清查期间，其森林面积分别较上一次增长的幅度为 6.26%、6.14%；林分蓄积量分别较上一次增长的幅度为 10.32%、16.01%。由此可以看出，森林数量(面积)的增加和森林质量(林分蓄积量)的提升，极大地促进了森林生态功能的增长。

全国森林生态系统服务功能价值量不断增长原因除了上述的森林面积(森林数量)增加的因素外，还与以下因素关系密切：其一是林龄结构更趋于合理化，效益发挥更加显著。5 个龄组中，中龄林、近熟林和成熟林的生态功能大于幼龄林和过熟林。第七次森林资源清查期间，中龄林、近熟林和成熟林面积所占比例为 60.27%，而到第八次森林资源清查期间评估时，这一比例上升至 61.18%；其二是评估指标体系和评估公式更加完善，本次评估增加了森林防护和森林游憩功能的评估项。此外，还对生物多样性保育功能评估公式进行了修正，加入了濒危指数、特有种指数和古树指数；其三是社会公共价格的变化，由于近年来经济发展迅速以及价格的飞涨，上次评估的许多价格已经提升。这种价格的变化主要体现在固土保肥和林木养分固持功能中。第七次森林清查期我国森林主要生态功能价值量分布极不均匀，整体看来，北部地区和南部地区价值量较高。中原地区和西部地区森林生态服务功能价值量较低。第八次森林清查期我国森林主要生态功能价值量分布与上次分布基本一致，整体看来，北部地区和南部地区价值量仍较高。但中原地区和西部地区森林生态服务功能价值量增长较快。

新中国成立前，由于种种历史原因和自然灾害的影响，我国森林资源破坏非常严重。其总体呈现总量不足且质量低下的局面。由此，带来了全国生态状况的不断恶化。新中国成立后，党和政府高度重视林业建设，颁布了诸多的林业政策，实施了林业生态工程，对于保护和发展森林资源起到了积极的促进作用，森林资源数量和质量不断提升。由此，我国森林资源进入了数量增长、质量提升的稳步发展时期。森林资源的变化，一定会对森林生态功能产生影响。随着我国国民经济的不断发展，保护和发展森林资源也随着国家经济建设的需要发生了改变。

由表 2-2 可以看出，在第五次清查期之前，所实施的林业生态工程只有京津风沙源治理工程、三北及长江流域等重点防护林体系工程、速生丰产用材林建设工程。其中，三北及长江流域等重点防护林体系工程的造林面积最大，占到了总造林面积的 90% 以上，所以第五次清查期之前我国森林生态服务功能增长量的最大驱动力是三北及长江流域等重点防护林体系工程。我国自第五次清查期之后，逐渐启动了退耕还林、天然林资源保护等林业重大生态工程，森林资源开始稳步提升，进而带来了近年来我国森林生态服务功能的不断增强。

第二节　长江经济带和黄河流域评估

党的十八大以来，我国深入实施区域协调发展战略，相继提出了京津冀协同发展、长江经济带发展、粤港澳大湾区建设、黄河流域生态保护和高质量发展和长三角一体化发展等重大国家战略。

范围：长江经济带覆盖上海、江苏、浙江、安徽、江西、湖北、湖南、重庆、四川、云南、贵州等 11 省份，面积约 205 万平方公里，占全国的 21%，人口和经济总量均超过全国的 40%，生态地位重要、综合实力较强、发展潜力巨大。目前，长江经济带发展面临诸多亟待解决的困难和问题，主要是生态环境状况形势严峻、长江水道存在瓶颈制约、区域发展不平衡问题突出、产业转型升级任务艰巨、区域合作机制尚不健全等。

长江流域在我国生态安全格局与社会经济发展中具有重要的战略地位。近年来，尤其是 2000 年以来长江流域实施了退耕还林、天然林资源保护等一系列生态保护工程，并取得显著成效（丁肇慰等，2020），长江流域森林、灌丛、草地生态系统得到有效恢复，土壤保持、固碳等生态系统功能得到进一步提升（Xu et al.，2006）。同时，林业发展也是长江经济带建设的重要组成部分，林业发展可助推长江经济带实现真正的绿色发展和可持续发展（李想等，2016）。

目的：《长江经济带发展规划纲要》由中共中央政治局于 2016 年 3 月 25 日审议通过，纲要从规划背景、总体要求、大力保护长江生态环境、加快构建综合立体交通走廊、创新驱动产业转型升级、积极推进新型城镇化、努力构建全方位开放新格局、创新区域协调发展体制机制、保障措施等方面描绘了长江经济带发展的宏伟蓝图，是推动长江经济带发展重大国家战略的纲领性文件。

黄河是世界第五大河，发源于青藏高原，流经黄土高原和华北平原后从山东入海。黄河全长 5464 公里，流域面积 79.5 万平方公里，流经青海、甘肃、四川、宁夏、内蒙古、陕西、山西、河南、山东等 9 个省份，是我国西北地区和华北地区的重要水源（王忠静和郑航，2019），作为孕育了华夏文明的母亲河，黄河以仅占全国2%的河川径流量承担着全国15%的耕地和12%人口的供水任务，同时还承担着向流域外部分地区远距离调水的任务。黄河流域人均河川径流量473立方米，不足全国平均水平的1/4，是我国水资源极其短缺的地区之一。随着我国生态环境建设的不断深入，尤其是在林业重大生态工程的大力影响下，黄河流域植被得以恢复，防洪减灾和水沙治理取得明显成效，流域生态环境持续向好，上游水源涵养能力稳定提升，中游黄土高原蓄水保土能力显著增强，出现了"人进沙退"的治沙奇迹，生物多样性明显增加（金凤君，2019）。以黄河干流潼关水文站年均输沙量为例，由1919—1959年的16亿吨/年，锐减至2001—2018年的2.44亿吨/年，减少达85%。其中，2015年仅为0.55亿吨（胡春宏等，2020）。同时，在花园口水文站以上的水资源总量由1998年的549.48亿立方米增加至2019年的754.15亿立方米，增长幅度达到了37.25%（黄河水资源公报）。

目的：关于黄河流域生态保护和高质量发展的主要目标任务，习近平总书记指出：黄河生态系统是一个有机整体，要充分考虑上中下游的差异。上游要以三江源、祁连山、甘南黄河上游水源涵养区等为重点，推进实施一批重大生态保护修复和建设工程，提升水源涵养能力。中游要突出抓好水土保持和污染治理。水土保持不是简单挖几个坑种几棵树，黄土高原降雨量少，能不能种树，种什么树合适，要搞清楚再干。有条件的地方要大力建设旱作梯田、淤地坝等，有的地方则要以自然恢复为主，减少人为干扰，逐步改善局部小气候。对汾河等污染严重的支流，则要下大气力推进治理。下游的黄河三角洲是我国暖温带最完整的湿地生态系统，要做好保护工作，促进河流生态系统健康，提高生物多样性。

我国实施的林业生态工程大部分集中在长江和黄河两大流域，例如：退耕还林工程在长江中上游和黄河中上游分别造林面积为924.06万公顷和725.09万公顷，分别占其流域内森林面积的13.98%和48.47%。从以上数据中可以看出，退耕还林工程造林对于我国森林资源增长的重要性，尤其是黄河流域，几乎占了一半的森林面积。另外，退耕还林工程在北方沙化土地区造林面积为造林面积为1592.29万公顷，其中在沙化土地上的造林面积为401.10万公顷，严重沙化土地上造林面积为300.61万公顷。截至2013年，防风固沙型生态功能区（内蒙古自治区、宁夏回族自治区、甘肃省、陕西省）的森林面积为 723.00 万公顷，退耕还林工程在沙化土地造林面积和严重沙化土地造林面积分别占防风固沙型功能区森林面积的比例分别为 42.33% 和 38.87%，这足以说明我国退耕还林工程起到了极其重要的防风固沙功能，为我国的生态环境建设发挥了积极的作用。

一、长江经济带评估结果

基于第九次森林资源清查数据，长江经济带森林生态系统服务功能价值量为 5.66 万亿元/年，占全国森林生态系统服务功能价值量的 35.64%。长江经济带各省森林生态系统服务功能价值量如图 3-3 所示，其价值量排序为云南、四川、湖南、江西、湖北、贵州、浙江、安徽、重庆、江苏和上海，各省份森林生态系统服务功能价值量占长江经济带价值量的比例分别为 22.16%、19.55%、12.58%、9.87%、9.35%、7.61%、7.30%、4.85%、4.41%、2.13% 和 0.18%。

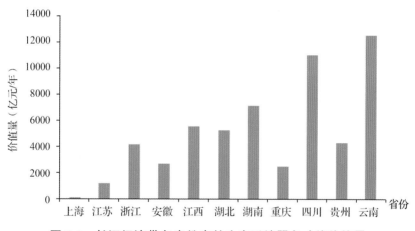

图 3-3　长江经济带各省份森林生态系统服务功能价值量

方针：2016 年 1 月 5 日，习近平总书记在重庆召开的推动长江经济带发展座谈会上表示，当前和今后相当长一个时期，要把修复长江生态环境摆在压倒性位置，共抓大保护，不搞大开发。把推动新型城镇化作为重要抓手，加强与"一带一路"战略衔接互动，培育长江经济带全方位对外开放新优势。

2020 年 11 月 14 日，习近平总书记在江苏省南京市主持召开全面推动长江经济带发展座谈会并发表重要讲话，指出加强生态环境系统保护修复，要从生态系统整体性和流域系统性出发，追根溯源、系统治疗，防止头痛医头、脚痛医脚。

二、黄河流域评估结果

本次评估的范围为黄河流经省份位于黄河流域内的森林生态系统。基于第九次森林资源清查数据，黄河流域森林生态系统服务功能价值量为9403.04亿元/年，各省份森林生态系统服务功能价值量如图3-4所示，其价值量排序为陕西、河南、山西、内蒙古、甘肃、青海、山东、宁夏和四川，各省份森林生态系统服务功能价值量占黄河流域价值量的比例分别为23.00%、21.49%、15.50%、11.31%、7.68%、7.55%、6.59%、4.10%和2.78%。

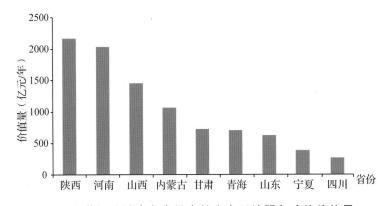

图3-4 黄河流域内各省份森林生态系统服务功能价值量

第三节 经济分区及省级评估

林业承载着巨大的生态产业、可循环的林产工业和低碳绿色生物产业，提供了巨大的生态服务，在生态文明建设中承担着不可替代的历史使命（"中国森林资源核算研究"项目组，2015）。因此，近年来国家一直积极推动林业发展，各省（自治区、直辖市）也在加强本省份森林资源的保护和管理。由于各省（自治区、直辖市）的林业资源及管理水平存在差异，因此省级尺度各行政区域也存在其各自的森林生态服务功能时空变化规律。同时，中国森林生态系统服务的测算是一项非常庞大、复杂的系统工程，适合划分成多个均质化的生态测算单元开展核算（Niu et al.，2013），即分布式测算方法。在森林生态服务功能的分布式测算中各省级尺度森林服务功能是实现全国森林生态服务功能测算的一级测算单元。因此，省级尺度森林生态服务功能的测算是全国森林生态服务功能测算的基础。相对于全国尺度，省级尺度森林生态服务功能时空变化的研究能够更深入地反映40年来我国森林生态服务功能的变化细节和规律。本研究所采用的森林生态连清技术广泛应用于省级及以下尺度的森林生态服务功能评估，在安徽（夏尚光等，2016）、黑龙江（杨国亭等，2017）、吉林（任军等，2016；董秀凯等，2017）、宁夏（牛香等，2017）、山东（李景全等，2017）、上海（高翔伟等，2017）等多个省份开展了省级尺度森林生态服务功能的评估，为各省份生态功能时空变化规律研究提供了有力的数据支撑。

本研究参考中国森林资源报告（2009—2013）（国家林业局，2014），将我国省级行政区划分为东北地区、西部大开发地区（简称西部地区，下同）、东部地区和中部地区。由于缺乏香港、澳门、台湾的森林资源清查数据，本研究只对31个省（自治区、直辖市）森林生态服务功能时空变化进行分析，各省（自治区、直辖市）的时空变化规律如下。

一、东部地区省份

东部地区森林生态系统服务功能价值量动态变化如图3-5所示，第七次、第八次和第九次森林资源清查期间，东部地区森林生态系统服务功能价值量分别为1.70万亿元/年、2.07万亿元/年、2.85万亿元/年，占同期全国森林生态系统服务功能价值量的比例分别为16.99%、16.36%、17.92%，增长幅度分别为21.93%和37.18%。

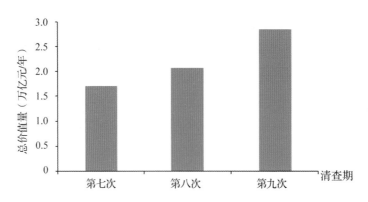

图 3-5　东部地区森林生态系统服务功能价值量动态变化

（一）北京市

北京市森林生态系统服务功能价值量动态变化如图 3-6 所示，第七次、第八次和第九次森林资源清查期间，其森林生态系统服务功能价值量呈现显著提升的趋势，增长幅度分别为 22.85%、45.65%，近年来，北京市的两轮百万亩大造林和北京市防沙治沙规划（2011—2020 年）等政策的实施对于森林生态系统服务功能的增强起到了积极的作用。同时，北京市森林生态系统服务功能价值量分别相当于同期本地 GDP（2008 年、2013 年和 2018 年）的比例分别为 2.24%、1.48%、1.39%。

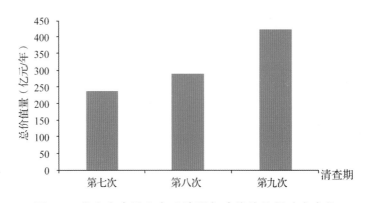

图 3-6　北京市森林生态系统服务功能价值量动态变化

（二）天津市

天津市森林生态系统服务功能价值量动态变化如图 3-7 所示，第七次、第八次和第九次森林资源清查期间，其森林生态系统服务功能价值量呈现极显著上升的趋势，增长幅度分别为 61.30%、227.70%，天津市近年来实施的《2009—2012 年天津林业建设规划》和《绿色天津林业建的设规划提纲》等政策起到了极大的作用。同时，其森林生态系统服务功能价值量分别相当于同期本地 GDP（2008 年、2013 年和 2018 年）的比例为 0.41%、0.29%、0.73%。

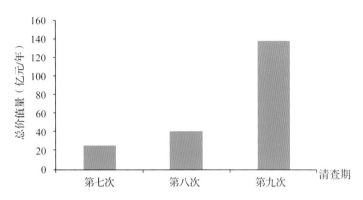

图 3-7　天津市森林生态系统服务功能价值量动态变化

（三）河北省

河北省森林生态系统服务功能价值量动态变化如图 3-8 所示，第七次、第八次和第九次森林资源清查期间，其森林生态系统服务功能价值量呈现不断上升的趋势，尤其是近十年来增长幅度更为明显，增长幅度分别为 6.72%、99.77%。近年来，河北省对于林业生态建设极为重视，连续发布了《河北省绿化条例（草案）》《河北省义务植树条例》《河北省封山育林条例》《河北省森林覆盖率净增量目标考核办法》和《河北省森林病虫害防治实施办法》等，这些政策措施的实施，极大地提升了河北省森林资源数据和质量，为生态系统服务功能的提升提供了物质基础，更为京津冀协同发展筑牢了绿色屏障。同时，其森林生态系统服务功能价值量分别相当于同期本地 GDP（2008 年、2013 年和 2018 年）的比例为 9.87%、6.03%、9.46%。

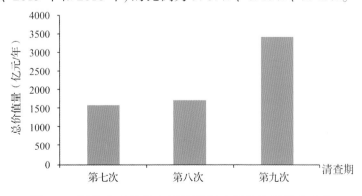

图 3-8　河北省森林生态系统服务功能价值量动态变化

（四）上海市

上海市森林生态系统服务功能价值量动态变化如图 3-9 所示，第七次、第八次和第九次森林资源清查期间，其森林生态系统服务功能价值量呈现显著上升的趋势，尤其是近十年来增长幅度尤为明显，增长幅度分别为 69.95%、155.25%。《上海市生态廊道体系规划（2017—2035 年）》《上海市城市绿地系统规划（2002—2020)》《上海市基本生态网络规划》《上海市立体绿化专项规划》等政策法规的实施对于其森林生态系统服务功能的稳定持续发挥提供了坚实的物质基础。同时，其森林生态系统服务功能价值量分别相当于同期本地 GDP（2008 年、2013 年和 2018 年）的比例为 0.17%、0.18%、0.31%。

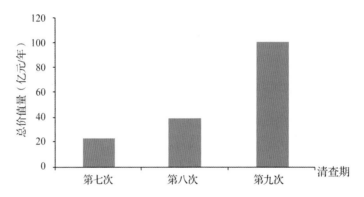

图 3-9 上海市森林生态系统服务功能价值量动态变化

（五）江苏省

江苏省森林生态系统服务功能价值量动态变化如图 3-10 所示，第七次、第八次和第九次森林资源清查期间，其森林生态系统服务功能价值量呈现显著上升的趋势，增长幅度分别为 42.25%、67.80%。《江苏省国有林场森林资源监管办法（试行）》《江苏省集体林权流转管理办法》《苏州市生态补偿条例实施细则》《江苏省生态保护与建设规划（2014—2020 年）》等政策措施的颁布实施，对于森林资源的保护和增长提供了不竭的动力。同时，其森林生态系统服务功能价值量分别相当于同期本地 GDP（2008 年、2013 年和 2018 年）的比例为 1.67%、1.22%、1.30%。

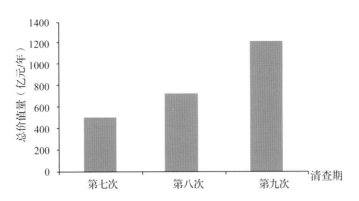

图 3-10 江苏省森林生态系统服务功能价值量动态变化

（六）浙江省

浙江省森林生态系统服务功能价值量动态变化如图 3-11 所示，第七次、第八次和第九次森林资源清查期间，其森林生态系统服务功能价值量呈现不断上升的趋势，增长幅度分别为 20.47%、12.91%。《浙江省公益林抚育更新采伐管理办法》《关于加快推进营造林工程化管理的指导意见》《省级公益林扩面工作指导意见》《浙江省沿海防护林体系建设工程项目与资金管理办法》《关于切实加强迹地更新工作的意见》等政策法规的实施，有力地保护了森林资源。同时，其森林生态系统服务功能价值量分别相当于同期本地 GDP（2008 年、2013 年和 2018 年）的比例为 14.13%、9.74%、7.35%。

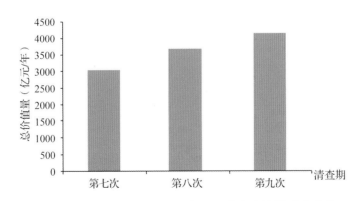

图 3-11 浙江省森林生态系统服务功能价值量动态变化

（七）福建省

福建省森林生态系统服务功能价值量动态变化如图 3-12 所示，第七次、第八次和第九次森林资源清查期间，其森林生态系统服务功能价值量呈现不断上升的趋势，增长幅度分别为 23.86%、7.47%。《福建省生态公益林条例》《福建省森林资源流转条例》《福建省沿海防护林条例》《福建省国有林场森林资源管理办法（试行）》等政策的颁布实施，为其森林生态系统服务功能的发挥提供了坚实的物质基础。同时，其森林生态系统服务功能价值量分别相当于同期本地 GDP（2008 年、2013 年和 2018 年）的比例为 36.73%、22.63%、14.78%。

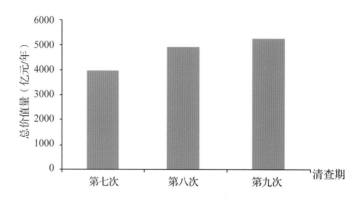

图 3-12 福建省森林生态系统服务功能价值量动态变化

（八）山东省

山东省森林生态系统服务功能价值量动态变化如图 3-13 所示，第七次、第八次和第九次森林资源清查期间，其森林生态系统服务功能价值量呈现显著上升的趋势，尤以近 10 年增长幅度最为明显，增长幅度分别为 26.56%、99.61%，这得益于《山东省国有林场条例》《山东省森林资源条例》《山东省封山育林管理办法》等方针政策的实施。同时，其森林生态系统服务功能价值量分别相当于同期本地 GDP（2008 年、2013 年和 2018 年）的比例为 3.01%、2.17%、3.09%。

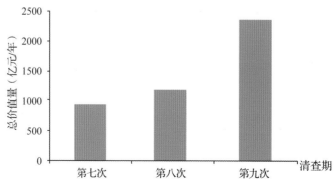

图 3-13 山东省森林生态系统服务功能价值量动态变化

（九）广东省

广东省森林生态系统服务功能价值量动态变化如图 3-14 所示，第七次、第八次和第九次森林资源清查期间，其森林生态系统服务功能价值量呈现不断上升的趋势，增长幅度分别为 23.27%、26.65%，这得益于《广东省森林和陆生野生动物类型自然保护区管理办法》《广东省生态景观林带建设管理办法》《广东省生态公益林调整管理办法(试行)》《广东省封山育林条例》《中共广东省委广东省人民政府关于加快建设林业生态省的决定》等管理办法的实施。同时，其森林生态系统服务功能价值量分别相当于同期本地 GDP（2008 年、2013 年和 2018 年）的比例为 15.54%、11.00%、8.90%。

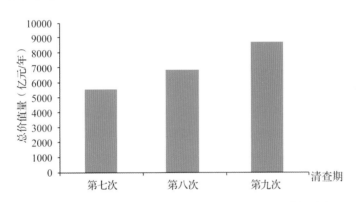

图 3-14　广东省森林生态系统服务功能价值量动态变化

（十）海南省

海南省森林生态系统服务功能价值量动态变化如图 3-15 所示，第七次、第八次和第九次森林资源清查期间，其森林生态系统服务功能价值量呈现不断上升的趋势，尤以近 10 年增长幅度最为明显，增长幅度分别为 18.91%、103.78%，《海南省国有林场森林资源监督管理办法(试行)》《关于鼓励社会公益组织和志愿者参与国有林场公益林保护建设活动的指导性意见》《"绿化宝岛"大行动》等政策意见的实施，为生态系统服务功能的提升奠定了基础。同时，其森林生态系统服务功能价值量分别相当于同期本地 GDP（2008 年、2013 年和 2018 年）的比例为 77.20%、42.58%、56.50%。

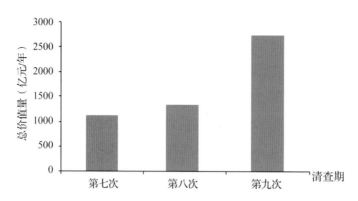

图 3-15 海南省森林生态系统服务功能价值量动态变化

二、东北地区

东北地区森林生态系统服务功能价值量动态变化如图 3-16 所示，第七次、第八次和第九次森林资源清查期间，东北地区森林生态系统服务功能价值量分别为 1.39 万亿元/年、1.60 万亿元/年、1.79 万亿元/年，占同期全国森林生态系统服务功能价值量的比例分别为 13.92%、12.61%、11.30%，增长幅度分别为 14.79% 和 12.21%。

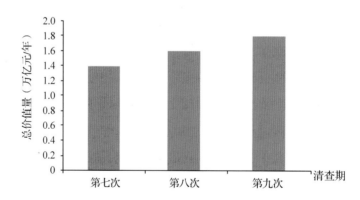

图 3-16 东北地区森林生态系统服务功能价值量动态变化

(十一)辽宁省

辽宁省森林生态系统服务功能价值量动态变化如图 3-17 所示，第七次、第八次和第九次森林资源清查期间，其森林生态系统服务功能价值量呈现不断上升的趋势，增长幅度分别为 21.61%、11.30%，这得益于《辽宁省天然林保护修复制度方案》《辽宁省森林采伐迹地更新办法》《辽宁省国有林场管理办法》《辽宁省国家级公益林区划界定和管理实施细则等管理办法》《辽宁省林业厅关于进一步加强青山工程"两退一围"工作的通知》等实施。同时，其森林生态系统服务功能价值量分别相当于同期本地 GDP（2008 年、2013 年和 2018 年）的比例为 16.89%、10.21%、12.16%。

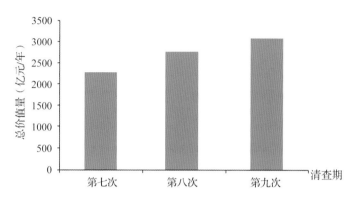

图 3-17　辽宁省森林生态系统服务功能价值量动态变化

（十二）吉林省

吉林省森林生态系统服务功能价值量动态变化如图 3-18 所示，第七次、第八次和第九次森林资源清查期间，其森林生态系统服务功能价值量呈现不断上升的趋势，增长幅度分别为 19.50%、13.83%，这得益于《吉林省自然保护区条例》《吉林省森林管理条例》《吉林省林地保护条例》《吉林省绿化条例》《吉林省森林管理条例》《吉林省重点公益林管理办法》等政策的实施。同时，其森林生态系统服务功能价值量分别相当于同期本地GDP（2008 年、2013 年和 2018 年）的比例为 47.97%、28.36%、27.80%。

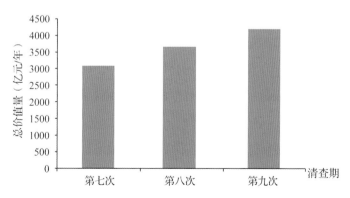

图 3-18　吉林省森林生态系统服务功能价值量动态变化

（十三）黑龙江省

黑龙江省森林生态系统服务功能价值量动态变化如图 3-19 所示，第七次、第八次和第九次森林资源清查期间,其森林生态系统服务功能价值量呈现不断上升的趋势,增长幅度分别为 11.29%、11.85%,这得益于《黑龙江省林地保护利用规划(2010—2020 年)》《黑龙江省林业和草原局关于进一步加强森林资源保护管理的通知》等规划文件的实施。同时,其森林生态系统服务功能价值量分别相当于同期本地 GDP(2008 年、2013 年和2018 年)的比例为 103.24%、66.39%、65.27%。

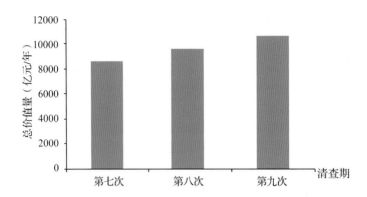

图 3-19　黑龙江省森林生态系统服务功能价值量动态变化

三、中部地区

中部地区森林生态系统服务功能价值量动态变化如图 3-20 所示,第七次、第八次和第九次森林资源清查期间,中部地区森林生态系统服务功能价值量分别为 1.74 万亿元/年、2.10 万亿元/年、2.72 万亿元/年,占同期全国森林生态系统服务功能价值量的比例分别为 17.40%、16.58%、17.15%,增长幅度分别为 20.72% 和 29.55%。

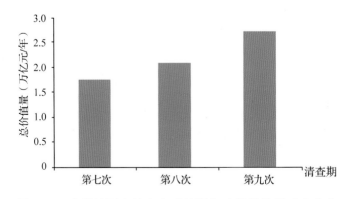

图 3-20　中部地区森林生态系统服务功能价值量动态变化

(十四)山西省

山西省森林生态系统服务功能价值量动态变化如图 3-21 所示,第七次、第八次和第九次森林资源清查期间,其森林生态系统服务功能价值量呈现显著上升的趋势,增长幅度分别为 40.54%、23.03%,这得益于《山西省森林经营规划(2016—2050 年)》《山西省深化改革发展提升质量效益六大行动方案》《关于进一步加强野生动物及其栖息地保护管理工作的通知》《关于加快推进省直林局造林绿化工作的指导意见》《山西省未成林管护办法》等管理政策的顺利实施。同时,其森林生态系统服务功能价值量分别相当于同期本地 GDP(2008 年、2013 年和 2018 年)的比例为 15.19%、11.75%、10.84%。

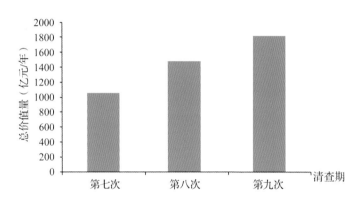

图 3-21　山西省森林生态系统服务功能价值量动态变化

(十五)安徽省

安徽省森林生态系统服务功能价值量动态变化如图 3-22 所示,第七次、第八次和第九次森林资源清查期间,其森林生态系统服务功能价值量呈现显著上升的趋势,增长幅度分别为 39.74%、11.93%,这均得益于《关于进一步加强国有林场森林资源监督管理工作的意见》《安徽省林业增绿增效行动考核方案》《安徽省天然林保护实施意见》《安徽省省级公益林规划调整管理办法》等政策法规的实施。同时,其森林生态系统服务功能价值量分别相当于同期本地 GDP(2008 年、2013 年和 2018 年)的比例为19.77%、12.88%、9.15%。

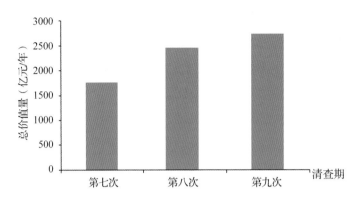

图 3-22　安徽省森林生态系统服务功能价值量动态变化

（十六）江西省

江西省森林生态系统服务功能价值量动态变化如图 3-23 所示，第七次、第八次和第九次森林资源清查期间，其森林生态系统服务功能价值量呈现不断上升的趋势，增长幅度分别为 0.72%、7.16%，《江西省林业厅关于加快推进国有林场场外造林的指导意见》《江西省林业厅关于进一步做好天然林保护管理工作的通知》《江西省森林质量提升科技创新与推广行动方案（2017-2020 年)》《江西省低产低效林改造规划（2014—2020)》等政策措施起到了一定的积极作用。同时，其森林生态系统服务功能价值量分别相当于同期本地GDP（2008 年、2013 年和 2018 年)的比例为 80.45%、36.10%、25.41%。

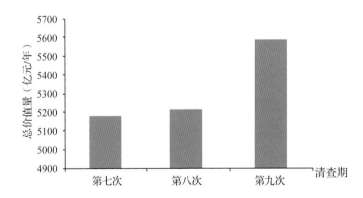

图 3-23　江西省森林生态系统服务功能价值量动态变化

（十七）河南省

河南省森林生态系统服务功能价值量动态变化如图 3-24 所示，第七次、第八次和第九次森林资源清查期间，其森林生态系统服务功能价值量呈现显著上升的趋势，增长幅度分别为 71.29%、109.58%。近年来，河南省为了提升森林数量和质量，颁布了大量的政策法规，例如：《河南省林业局关于开展森林经营方案编制工作的通知》《森林河南生态建设规划（2018—2027年）》《河南林业生态省建设提升工程规划（2013—2017年）》《河南省林地保护管理条例》等，均起到了积极的作用。同时，其森林生态系统服务功能价值量分别相当于同期本地GDP（2008年、2013年和2018年）的比例为7.07%、6.94%、9.73%。

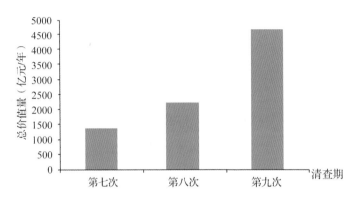

图3-24　河南省森林生态系统服务功能价值量动态变化

（十八）湖北省

湖北省森林生态系统服务功能价值量动态变化如图3-25所示，第七次、第八次和第九次森林资源清查期间，其森林生态系统服务功能价值量呈现不断上升的趋势，尤以第七次和第八次森林资源清查期间增长幅度最为明显，增长幅度分别为42.55%、13.06%，这均得益于《湖北天然林保护条例》《湖北省森林资源监督工作管理办法》《湖北长江大保护九大行动方案》《长江两岸造林绿化工程实施方案》等政策方案的实施。同时，其森林生态系统服务功能价值量分别相当于同期本地GDP（2008年、2013年和2018年）的比例为28.98%、18.97%、13.44%。

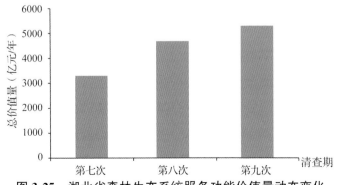

图3-25　湖北省森林生态系统服务功能价值量动态变化

(十九)湖南省

湖南省森林生态系统服务功能价值量动态变化如图 3-26 所示,第七次、第八次和第九次森林资源清查期间,其森林生态系统服务功能价值量呈现不断上升的趋势,尤以近十年增长幅度最为明显,增长幅度分别为2.52%、43.32%,这得益于《湖南省家庭林场认定管理办法》《湖南省森林公园条例》《湖南省林业厅湖南省财政厅关于进一步规范省级以上公益林区划调整工作的通知》《湖南省公益林管理办法》等政策文件的实施。同时,其森林生态系统服务功能价值量分别相当于同期本地 GDP(2008 年、2013 年和 2018 年)的比例为 43.42%、20.27%、19.54%。

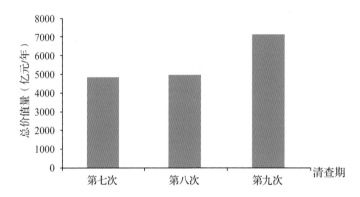

图 3-26 湖南省森林生态系统服务功能价值量动态变化

四、西部地区

西部地区森林生态系统服务功能价值量动态变化如图 3-27 所示,第七次、第八次和第九次森林资源清查期间,西部地区森林生态系统服务功能价值量分别为 5.18 万亿元/年、6.06 万亿元/年、6.61 万亿元/年,占同期全国森林生态系统服务功能价值量的比例分别为 51.70%、47.81%、41.65%,增长幅度分别为 17.15%和 9.11%。

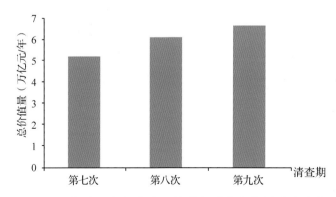

图 3-27 西部地区森林生态系统服务功能价值量动态变化

(二十)内蒙古自治区

内蒙古自治区森林生态系统服务功能价值量动态变化如图 3-28 所示，第七次、第八次和第九次森林资源清查期间，其森林生态系统服务功能价值量呈现不断上升的趋势，增长幅度分别为 22.89%、18.23%，《内蒙古自治区义务植树条例》《内蒙古自治区公益林管理办法》《内蒙古自治区国有林场发展规划》等条例法规的实施，对其森林生态系统服务功能的提升起到了积极的促进作用。同时，其森林生态系统服务功能价值量分别相当于同期本地 GDP（2008 年、2013 年和 2018 年）的比例为 92.20%、52.25%、60.14%。

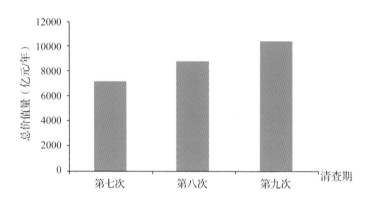

图 3-28　内蒙古自治区森林生态系统服务功能价值量动态变化

(二十一)广西壮族自治区

广西壮族自治区森林生态系统服务功能价值量动态变化如图 3-29 所示，第七次、第八次和第九次森林资源清查期间，其森林生态系统服务功能价值量呈现不断上升的趋势，增长幅度分别为 20.36%、7.62%，这得益于《广西壮族自治区乡村绿化美化工作方案》《广西营造林实绩综合核查办法》《自治区林业厅关于实施森林经营质量提升工程的意见》《自治区林业厅关于进一步加强全区林地保护管理工作的通知》《广西自治区级以上公益林更新改造管理办法》等政策的颁布实施。同时，其森林生态系统服务功能价值量分别相当于同期本地 GDP（2008 年、2013 年和 2018 年）的比例为 107.93%、64.79%、49.26%。

森 林

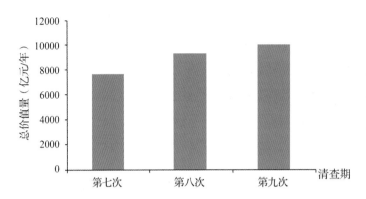

图 3-29 广西壮族自治区森林生态系统服务功能价值量动态变化

(二十二) 重庆市

重庆市森林生态系统服务功能价值量动态变化如图 3-30 所示,第七次、第八次和第九次森林资源清查期间,其森林生态系统服务功能价值量呈现不断上升的趋势,增长幅度分别为 30.94%、23.92%,这得益于《重庆市长江防护林体系管理条例》《重庆市林地保护管理条例》《重庆市绿化条例》《重庆市公益林管理办法》《重庆市实施全民义务植树条例》《重庆市森林公园管理办法》等政策条例的顺利实施。同时,其森林生态系统服务功能价值量分别相当于同期本地 GDP(2008 年、2013 年和 2018 年)的比例为 30.21%、15.93%、12.27%。

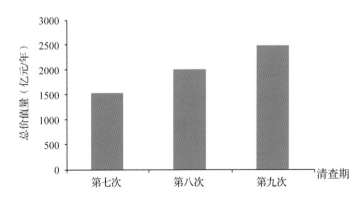

图 3-30 重庆市森林生态系统服务功能价值量动态变化

(二十三) 四川省

四川省森林生态系统服务功能价值量动态变化如图 3-31 所示,第七次、第八次和第九次森林资源清查期间,其森林生态系统服务功能价值量呈现不断上升的趋势,增长幅度分别为 4.45%、1.65%,这得益于《四川省乡村绿化美化行动实施方案》《四川省人民政府办公厅关于加快推进森林城市建设的意见》《四川省林地保护管理办法》等政策的实施。同时，其森林生态系统服务功能价值量分别相当于同期本地GDP（2008年、2013年和2018年）的比例为84.68%、42.82%、27.19%。

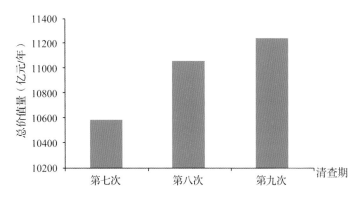

图 3-31　四川省森林生态系统服务功能价值量动态变化

(二十四)贵州省

贵州省森林生态系统服务功能价值量动态变化如图 3-32 所示，第七次、第八次和第九次森林资源清查期间，其森林生态系统服务功能价值量呈现显著上升的趋势，增长幅度分别为 37.31%、24.65%，《贵州省国有林场条例》《贵州省森林条例》《贵州省义务植树条例》《森林和野生动物类型自然保护区管理办法》等政策的实施对于森林资源的保护起到了积极的作用。同时，其森林生态系统服务功能价值量分别相当于同期本地 GDP（2008年、2013年和2018年）的比例为 75.45%、43.13%、29.07%。

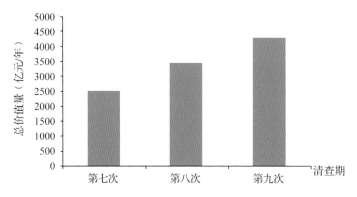

图 3-32　贵州省森林生态系统服务功能价值量动态变化

(二十五)云南省

云南省森林生态系统服务功能价值量动态变化如图 3-33 所示,第七次、第八次和第九次森林资源清查期间,其森林生态系统服务功能价值量呈现不断上升的趋势,增长幅度分别为 12.70%、8.49%,这均得益于《云南省国有林场管理办法》《云南省 2016—2020 年林业双增目标责任考核办法》《云南省森林抚育实施细则》《云南省国家储备林(后备林)划定实施细则(试行)》《云南省国家公园管理条例》《云南省林业厅关于加快推进低效林改造工作的意见》等政策办法的实施。同时,其森林生态系统服务功能价值量分别相当于同期本地 GDP(2008 年、2013 年和 2018 年)的比例为 179.95%、98.63%、70.14%。

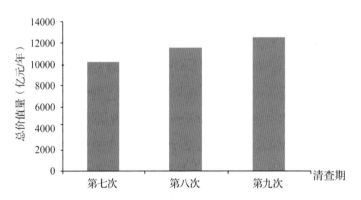

图 3-33 云南省森林生态系统服务功能价值量动态变化

(二十六)西藏自治区

西藏自治区森林生态系统服务功能价值量动态变化如图 3-34 所示,第七次、第八次和第九次森林资源清查期间,其森林生态系统服务功能价值量呈现不断上升的趋势,增长幅度分别为 6.60%、5.57%,这得益于《西藏自治区林地管理办法》《西藏自治区公益林管护办法(试行)》《西藏自治区营造林工程检查管理办法》等管理办法的顺利实施。同时,其森林生态系统服务功能价值量分别相当于同期本地 GDP(2008 年、2013 年和 2018 年)的比例为 1384.26%、763.60%、395.37%。

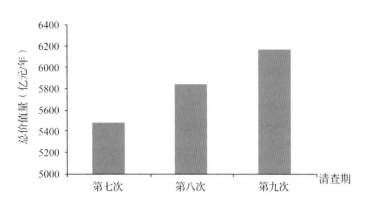

图 3-34　西藏自治区森林生态系统服务功能价值量动态变化

(二十七)陕西省

陕西省森林生态系统服务功能价值量动态变化如图 3-35 所示，第七次、第八次和第九次森林资源清查期间，其森林生态系统服务功能价值量呈现不断上升的趋势，尤以第七次和第八次森林资源清查期间增长幅度最大，增长幅度分别为 33.09%、13.35%，这得益于《陕西省秦岭生态环境保护条例》《陕西省森林公园条例》《陕西省封山禁牧条例》《陕西省森林管理条例》等文件的实施。同时，其森林生态系统服务功能价值量分别相当于同期本地 GDP（2008 年、2013 年和 2018 年）的比例为 39.18%、22.27%、16.57%。

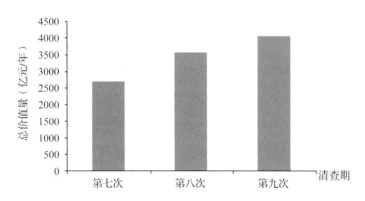

图 3-35　陕西省森林生态系统服务功能价值量动态变化

(二十八)甘肃省

甘肃省森林生态系统服务功能价值量动态变化如图 3-36 所示，第七次、第八次和第九次森林资源清查期间，其森林生态系统服务功能价值量呈现不断上升的趋势，增长幅度分别为 4.98%、4.13%，这得益于《甘肃省推进生态文明建设林业规划（2015—2020 年）》《甘南黄河重要水源补给生态功能区生态保护与建设规划》《甘肃省森林经营规划（2016—2050 年）》《甘肃省公益林管理办法》《甘肃省森林抚育作业设计实施细则（试行）》等政策的顺利实施。同时，其森林生态系统服务功能价值量分别相当于同期本地 GDP（2008 年、2013 年和 2018 年）的比例为 56.75%、31.43%、22.95%。

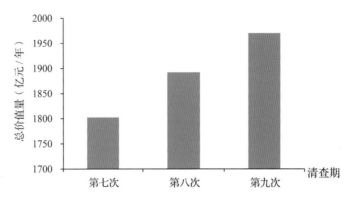

图 3-36　甘肃省森林生态系统服务功能价值量动态变化

(二十九) 青海省

青海省森林生态系统服务功能价值量动态变化如图 3-37 所示，第七次、第八次和第九次森林资源清查期间，其森林生态系统服务功能价值量呈现不断上升的趋势，增长幅度分别为 17.65%、21.49%，这得益于《青海省生态文明建设促进条例》《青海省林地−林权管理办法》《森林和野生动物类型自然保护区管理办法》《青海省国家重点公益林管理办法(试行)》等管理办法的实施。同时，其森林生态系统服务功能价值量分别相当于同期本地 GDP(2008 年、2013 年和 2018 年)的比例为 79.17%、42.63%、37.98%。

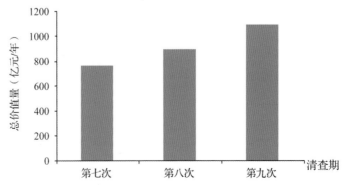

图 3-37　青海省森林生态系统服务功能价值量动态变化

(三十)宁夏回族自治区

宁夏回族自治区森林生态系统服务功能价值量动态变化如图 3-38 所示，第七次、第八次和第九次森林资源清查期间，其森林生态系统服务功能价值量呈现不断上升的趋势，增长幅度分别为 23.77%、74.70%，《宁夏回族自治区集体林权流转实施办法》《宁夏回族自治区林地管理办法》《宁夏回族自治区规范认定新型林业经营主体办法》《宁夏国有林场改革方案》等政策的实施为其森林资源的增长和森林质量的提升提供了坚实的物质基础。同时，其森林生态系统服务功能价值量分别相当于同期本地 GDP（2008 年、2013 年和 2018 年）的比例为 13.96%、7.40%、8.95%。

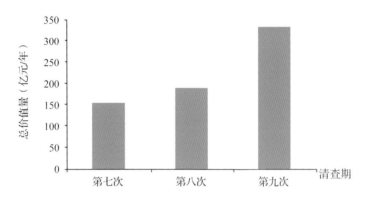

图 3-38 宁夏回族自治区森林生态系统服务功能价值量动态变化

(三十一)新疆维吾尔自治区

新疆维吾尔自治区森林生态系统服务功能价值量动态变化如图 3-39 所示，第七次、第八次和第九次森林资源清查期间，其森林生态系统服务功能价值量呈现显著上升的趋势，增长幅度分别为 34.86%、46.19%，这得益于《关于进一步放活集体林经营权加快推进现代林业发展的指导意

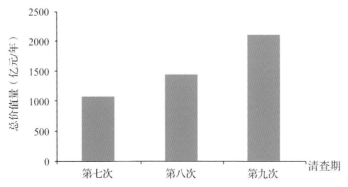

图 3-39 新疆维吾尔自治区森林生态系统服务功能价值量动态变化

见》《新疆维吾尔自治区平原天然林保护条例》《新疆维吾尔自治区义务植树条例》《新疆维吾尔自治区自然保护区管理条例》等政策条例的顺利实施。同时，其森林生态系统服务功能价值量分别相当于同期本地 GDP（2008 年、2013 年和 2018 年）的比例为 25.46%、17.26%、17.30%。

第四章　森林全口径碳汇40年动态变化

第一节　森林全口径碳汇

碳中和已成为网络高频热词，百度搜索结果约1亿个！与其密切相关的森林碳汇也成为热词，搜索结果超过1200万个。

最近的两组数据显示，中国森林面积和蓄积量持续增长将有效助力实现碳中和目标。第一组数据：2020年10月28日，国际知名学术期刊《自然》发表的多国科学家最新研究成果显示，2010—2016年中国陆地生态系统年均吸收约11.1亿吨碳，吸收了同时期人为碳排放的45%。成果表明，此前中国陆地生态系统碳汇能力被严重低估。第二组数据：2021年3月12日，国家林业和草原局新闻发布会介绍，我国森林资源中幼龄林面积占森林面积的60.94%，中幼龄林处于高生长阶段，伴随森林质量不断提升，具有较高的固碳速率和较大的碳汇增长潜力，这对我国二氧化碳排放力争2030年前达到峰值、2060年前实现碳中和具有重要作用。

中国森林生态系统碳汇能力之所以被低估，主要原因是碳汇方法学上的缺陷所致，即采用材积源生物量法通过森林蓄积量增量来推算森林碳汇量的方法。本报告将从森林碳汇资源和森林全口径碳中和入手，分析四十年以来中国森林全口径碳中和的变化趋势和累积成效，进一步明确林业在碳达峰目标与碳中和过程中的重要作用。

定义：中国森林植被全口径碳汇＝森林资源碳汇(乔木林碳汇+竹林碳汇+特灌林碳汇)+疏林地碳汇+未成林造林地碳汇+非特灌林灌木林碳汇+苗圃地碳汇+荒山灌丛碳汇+城区和乡村绿化散生林木碳汇，其中，含2.2亿公顷森林生态系统土壤年碳汇增量。

在了解陆地生态系统特别是森林对实现碳中和的作用之前，需要明确两个概念，即森林碳汇与林业碳汇。森林碳汇是森林植被通过光合作用固定二氧化碳，将大气中的二氧化碳捕获、封存、固定在木质生物量中，从而实现碳中和的能力。而林业碳汇是通过造林再造林或者提升森林经营技术增加的森林碳汇，可以进行交易。

强制性减排交易机制-清洁发展机制（CDM）：通过造林再造林获得林业碳汇，其方法学：避免沼泽森林转换方法学；避免生态系统转化方法学；避免非法退化方法学；通过火烧避免森林退化方法学；避免马赛克毁林。

国际核证碳减排标准（VCS）：通过造林、再造林和植被恢复、减少采伐影响、禁伐、增加轮伐期、低产林改造及减少毁林和森林退化排放及森林保护项目获得林业碳汇，其方法学：通过扩大轮伐期提高森林管理方法学；低产林转化为高产林方法学；用材林转为防护林的森林管理方法学；提升温带和北方森林管理。

中国自愿减排项目（CCER）：通过碳汇造林、竹子造林、森林经营、竹子经营、生态修复获得林业碳汇，其方法学碳汇造林项目方法学；竹子造林碳汇项目方法学；森林经营碳汇项目方法学；小规模非煤矿区生态修复项目方法学；竹林经营碳汇项目方法学。

通过森林蓄积量增量来推算森林碳汇量的方法。其缺陷主要体现在两方面。

其一，在2.2亿公顷森林资源之内，森林蓄积量没有统计到特灌林和竹林，只体现了乔木林的蓄积量，仅仅通过乔木林的蓄积量增量来推算森林碳汇量的话，就忽略了特灌林和竹林的碳汇功能。我国近40年有林地及其分量面积(乔木林、经济林和竹林)的变化趋势，有林地面积近40年增长了10292.31万公顷，增长幅度为89.28%。有林地面积的增长主要来源于造林，我国历次清查期间的全国造林面积，造林面积均保持在2000万公顷/5年之上，Chi Chen等(2019)研究也证明了造林是中国增绿量居于世界前列的最主要原因。竹林是森林资源中固碳能力最强的植物，在固碳基质上，属于C_4植物，而其他乔木林属于C_3植物。灌木林虽然没有蓄积量的统计数据，但中国特灌林面积广袤，也具有显著的碳中和能力。如图4-1所示，近40年来，我国竹林面积处于持续的增长趋势，增长量为309.81万公顷，增长幅度为93.49%；灌木林地面积(特灌林+非特灌林灌木林)亦处于不断的增长过程中，近40年其面积增长了2倍。

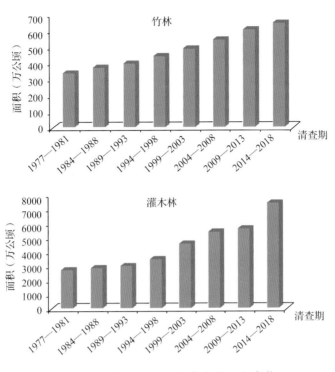

图 4-1　近 40 年我国竹林和灌木林面积变化

第九次全国森林资源清查结果显示，我国竹林面积 641.16 万公顷，特灌林面积 3192.04 万公顷。竹林是世界公认的生长最快的植物之一，具有爆发式可再生生长特性，蕴含着巨大的碳汇潜力，是林业应对气候变化不可或缺的重要战略资源。研究表明，毛竹年固碳量为每公顷 5.09 吨，是杉木林的 1.46 倍，是热带雨林的 1.33 倍，同时每年还有大量的竹林碳转移到竹材产品碳库中长期保存。灌木是森林和灌丛生态系统的重要组成部分，地上枝条再生能力强，地下根系庞大，具有耐寒、耐热、耐贫瘠、易繁殖、生长快的生物学特性，尤其是在干旱半干旱地区，生长灌木林区域的生态系统碳库，对减少大气中二氧化碳含量具有重要作用。

其二，在 2.2 亿公顷森林资源之外，疏林地、未成林造林地、非特灌林灌木林、苗圃地、荒山灌丛、城区和乡村绿化散生林木也没在森林蓄积量的统计范围之内，它们的碳汇能力也被忽略了。图 4-2 展示我国近 40 年来疏林地、未成林造林地和苗圃地面积的变化趋势，由于我国对疏林地经营管理，使其面积逐渐减少，有力地保障了森林面积的增长。同时，随着我国重大林业生态工程的实施，使得未成林造林地面积在第七次森林资源清查期间增长量最大。从图 4-1 中可以看出，我国近 40 年来的造林面积始终保持着较大的数量，这就对苗圃地提出了较大的需要，这也是苗圃地面积大幅度增加的原因所在。

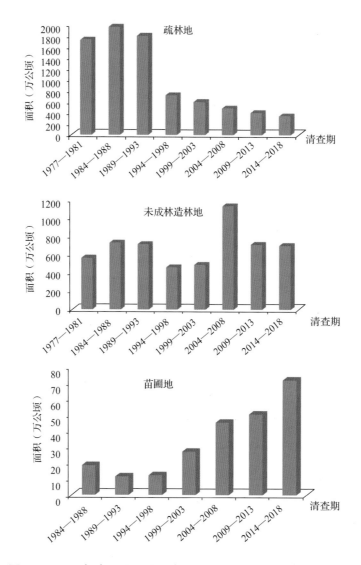

图 4-2　近 40 年我国疏林地、未成林造林地和苗圃地面积变化

第九次全国森林资源清查结果显示，我国疏林地面积 342.18 万公顷、未成林造林地面积 699.14 万公顷、非特灌林灌木林面积 1869.66 万公顷、苗圃地面积 71.98 万公顷、城区和乡村绿化散生林木株数 109.19 亿株(因散生林木具有较高的固碳速率，可以相当于 2000 万公顷森林资源的碳中和能力)。疏林地是指附着有乔木树种，郁闭度在 0.10~0.19 之间的林地，是增加森林资源、扩大森林面积、改善生态环境的有效途径。正是其郁闭度过低的特点，恰恰说明活立木种间和种内竞争比较微弱，而其生长速度较快的事实，又体现了较强的碳汇能力。未成林造林地是指人工造林后，苗木分布均匀，尚未郁闭但有成林希望或补植后有成林希望的林地，是提升森林覆盖率最重要的潜力资源之一，其处于造林的初始阶段，也是林木生长的高峰期，碳汇能力较强。苗圃地是繁殖和培育苗木的基地，由于其种植密度较大，碳密度必然较高。有研究表明，苗圃地碳密度明显高于未成林造林地和四旁树，固碳能力不容忽视。城区和乡村绿化散生林木几乎不存在生长限制因子，生长速度更接近于生产力的极限，也意味着固碳能力十分强大。

其三，森林土壤碳库是全球土壤碳库的重要组成部分，也是森林生态系统中最大的碳库，森林土壤中碳占全球土壤碳的 73%，森林土壤碳含量是森林生物量的 2~3 倍，它们的碳汇能力同样被忽略了。土壤中的碳最初来源于植物通过光合作用固定的二氧化碳，在形成有机质后通过根系分泌物、死根系或者枯枝落叶的形式进入土壤层，并在土壤中的动物、微生物和酶的作用下，转变为土壤有机质存储在土壤中，形成土壤碳汇。但是，森林土壤年碳汇量大部分在表层土壤中实现(0~20 厘米)，不同深度的森林土壤在年固碳量上存在差别，表层(0~20 厘米)土壤年碳汇量约比深层土壤(20~40 厘米)高出 30%，深层土壤中的碳属于持久性封存的碳，短时间内保持稳定的状态，且有研究表明成熟森林土壤可发挥持续的碳汇功能，土壤表层20 厘米土壤有机碳浓度呈上升趋势，1979 年和 2003 年，以每年 0.035% 的平均速率增长。

第二节　40 年动态变化

我国近 40 年森林全口径碳汇如图 4-3 所示，历次森林资源清查期，我国森林生态系统全口径碳汇量分别为 1.75 亿吨/年(第二次：1977—1981年)、1.99 亿吨/年(第三次：1984—1988 年)、2.00 亿吨/年(第四次：1989—1993 年)、2.64 亿吨/年(第五次：1994—1998 年)、3.19 亿吨/年(第六次：1999—2003 年)、3.59 亿吨/年(第七次：2004—2008 年)、4.03 亿吨/年(第八次：2009—2013 年)、4.34 亿吨/年(第九次：2014—2018 年)，从第二次森林资源清查开始，历次清查期间森林生态系统全口径碳汇量提升幅度分别为 0.50%、32.00%、20.83%、12.54%、12.26%、7.69%。

我国森林生态系统全口径碳汇量从第二次森林资源清查期间的 1.75 亿吨/年提升到第九次森林资源清查期间的 4.34 亿吨/年，增长了 2.59 亿吨/

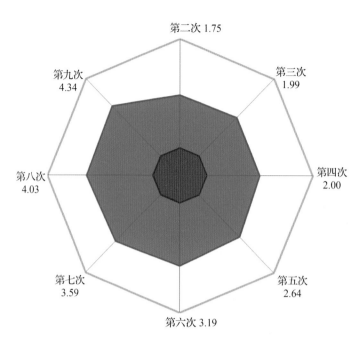

图 4-3　近 40 年我国森林全口径碳汇量变化（亿吨/年）

年，增长幅度为 148.00%。乔木林、经济林、竹林和灌木林面积的增长对于我国森林全口径碳中和能力提升的作用明显，但苗圃地面积和未成林造林地面积的增长对于我国森林全口径碳中和能力的作用也不容易忽视。同时，疏林地面积处于不断减少的过程中，表明了疏林地经过科学合理的经营管理后，林地郁闭度得以提升，达到了森林郁闭度的标准，同样为我国森林全口径碳中和能力的增强贡献了物质基础。

　　森林碳汇已被国际社会广泛认为是碳中和的最有效手段，我国通过诸多林业生态工程，实施大面积造林和天然林资源的保护和修复，森林资源得到了有效的保护和发展。2019 年我国单位国内生产总值二氧化碳排放比 2015 年和 2005 年分别下降约 18.2% 和 48.1%，2018 年森林面积和森林蓄积量分别比 2005 年增加 4509 万公顷和 51.04 亿立方米，成为同期全球森林资源增长最多的国家。通过不断努力，中国已成为全球温室气体排放增速放缓的重要力量。2018 年我国森林全口径碳汇量为 4.34 亿吨，折合成二氧化碳量为 15.91 亿吨，同期全国二氧化碳排放量为 100 亿吨，那么全国森林通过固碳功能吸收了全国二氧化碳排放量的 15.91%，起到了显著的绿色减排减排作用（图 4-4）。

　　2018 年，我国森林全口径碳汇量为 4.34 亿吨。其中，乔木林植被层碳汇 2.81 亿吨，森林土壤碳汇 0.51 亿吨，其他森林植被 1.02 亿吨（非乔木林），与中国科学院地理科学与资源研究所于贵瑞院士团队的研究结果

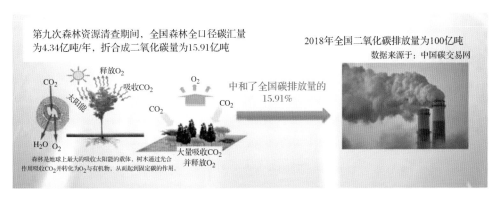

图 4-4　森林全口径碳汇中和了我国 15.91% 的碳排放量（图片来源：www. veer. com）

完全吻合。NIANPENGHE 等（2016）在 *Global Change Biology* 发表了关于我国森林碳汇能力模型模拟的研究结果，涉及的森林植被类型为落叶阔叶林、落叶针叶林、常绿阔叶林、常绿针叶林和针阔混交林，说明其研究对象为我国森林资源部分的碳汇能力。研究结果表明，2010—2050 年中国森林植被平均植被碳固存速率为 3. 4 亿吨/年，95% 的置信区间为 2. 8 亿～4. 2 亿吨/年，与本研究结果高度契合，2018 年我国森林资源碳汇量为 3. 32 亿吨/年（乔木林植被层碳+森林土壤碳汇）。目前，我国人工林面积达 7954. 29 万公顷，为世界上人工林最大的国家，其面积约占天然林的 57. 36%，但单位面积蓄积生长量为天然林的 1. 52 倍，说明我国人工林在森林碳汇方面起到了非常重要的作用。另外，据研究表明，中幼龄林处于高生长阶段，具有较高的固碳速率，目前，我国森林资源中幼龄林面积占森林面积的 60. 94%，说明中幼龄林碳汇量占据了森林碳汇量的主体地位。

在 2021 年 1 月 9 日召开的中国森林资源核算研究项目专家咨询论证会上，中国科学院院士蒋有绪、中国工程院院士尹伟伦肯定了这一理念，对森林生态服务价值核算的理论方法和技术体系给予高度评价。尹伟伦表示，生态价值评估方法和理论，推动了生态文明时代森林资源管理多功能利用的基础理论工作和评价指标体系的发展。蒋有绪表示，固碳功能的评估很好地证明了中国森林生态系统在碳减排方面的重要作用，希望在"碳中和"任务中担当重要角色。

2009 年哥本哈根世界气候大会上，我国代表团将基于第七次全国森林资源清查数据的森林全口径碳汇量数据（3. 59 亿吨/年）呈现给了参会代表，宣传材料受到了全部与会代表的一致好评。

<table>
<tr><td>第五章</td><td>中国森林生态系统服务功能
评估进展</td></tr>
</table>

第一节　全国尺度森林生态系统服务评估实践

在全国尺度上，以全国历次森林资源清查数据和森林生态连清数据（森林生态站、生态效益监测点以及 1 万余个固定样地的长期监测数据）为基础，利用分布式测算方法，开展了全国森林生态系统服务评估（图 5-1）。2009 年 1 月 17 日，国务院新闻办公室举行新闻发布会，公布全国森林生态系统年涵养水源量达到了 4947.66 亿立方米，年固土量达到了 70.35 亿吨，年固碳量（全口径森林碳汇）达到了 3.59 亿吨。仅固碳释氧、涵养水源、保育土壤、净化大气环境、积累营养物质及生物多样性保护等 6 项生态服务功能年价值达 10.01 万亿元。

2014 年 10 月 22 日，国家林业局和国家统计局在北京联合公布了中国森林资源核算新一轮研究成果。此次研究成果是由国家林业局和国家统计局联合组织开展的"中国森林资源核算及绿色经济评价体系研究"中的重要内容，核算结果显示，第八次森林资源清查期间，全国森林生态系统每年提供的主要生态服务的总价值为 12.68 万亿元。与第七次森林资源清查

图 5-1　全国尺度评估结果

期间相比，全国森林生态系统每年提供的物质量增长明显，其中，年涵养水源量增加了 17.4%，年保育土壤量增加了 16.4%，年碳汇量(全口径森林碳汇)由第七次清查的 3.59 亿吨增加到第八次清查的 4.03 亿吨，森林碳汇功能增加了 12.2%，全国森林生态系统服务的年价值量从 10.01 万亿元增长到 12.68 万亿元。

2021 年 3 月 12 日，国家林业和草原局与国家统计局联合在北京召开中国森林资源核算研究成果新闻发布会。第九次全国森林资源清查期间的林业生态建设成效显著，我国森林生态系统提供生态服务价值达 15.88 万亿元，比 2013 年增长了 25.24%。在为期 15 年的中国森林资源核算项目一期、二期、三期研究过程中，创新性地提出了中国森林全口径碳汇的全新理念，即中国森林全口径碳汇＝森林资源碳汇+疏林地碳汇+未成林造林地碳汇+非特灌林灌木林碳汇+苗圃地碳汇+荒山灌丛碳汇+城区和乡村绿化散生林木碳汇，只有全口径碳汇才能真实地反映林业在碳达峰碳中和的 30/60 目标中的作用和地位。本次核算结果显示，我国森林全口径碳汇量达 4.34 亿吨/年，折合成二氧化碳量为 15.91 亿吨(相当于吸收了当年全国二氧化碳排放量的 15.91%)。

"中国森林资源及其生态功能四十年监测与评估"研究结果表明：近 40 年间，我国森林生态功能显著增强。其中，固碳量、释氧量和吸收污染气体量实现了倍增，其他各项功能增长幅度也均在 70% 以上。

第二节 省域尺度森林生态系统服务评估实践

在全国选择 60 个省级及代表性地市、林区等开展森林生态系统服务评估实践，评估结果以"中国森林生态系统连续观测与清查及绿色核算"系列丛书的形式向社会公布(图 5-2)。该丛书包括了我国省级及以下尺度的森林生态连清及价值评估的重要成果，展示了森林生态连清在我国的发展过程及其应用案例，加快了森林生态连清的推广和普及，使人们更加深入地了解了森林生态连清体系在当代生态文明中的重要作用。

省级尺度上，例如：安徽卷研究结果显示，安徽省森林生态系统服务总价值为 4804.79 亿元/年(相当于 2012 年安徽省 GDP 的 23.05%，20849 亿元)，每公顷森林提供的价值平均为 9.60 万元/年(安徽卷，2015)。系列丛书安徽卷在当地生态保护、治理与环境损害评价、补偿等方面产生了良好的影响力，为地方生态环境建设及生态文明制度构建发挥了重要的作用。

代表性地市尺度上，例如：在呼伦贝尔国际绿色发展大会向社会公布了 2014 年呼伦贝尔市森林生态系统服务功能总价值量为 6870.46 亿元，生态 GDP（8417.11 亿元）相当于传统 GDP 的 5.22 倍（呼伦贝尔卷，2019）。充分反映了呼伦贝尔市林业生态建设成就，不仅有助于推动呼伦贝尔市开展公益林生态补偿工作，促进呼伦贝尔市生态文明建设责任制和保护发展森林目标责任制的落实，而且有利于构建生态效益科学量化补偿和生态 GDP 核算体系。

"中国森林生态系统连续观测与清查及绿色核算"
系列丛书目录

1. 安徽省森林生态连清与生态系统服务研究，出版时间：2016 年 3 月
2. 吉林省森林生态连清与生态系统服务研究，出版时间：2016 年 7 月
3. 黑龙江省森林生态连清与生态系统服务研究，出版时间：2016 年 12 月
4. 上海市森林生态连清体系监测布局与网络建设研究，出版时间：2016 年 12 月
5. 山东省济南市森林与湿地生态系统服务功能研究，出版时间：2017 年 3 月
6. 吉林省白石山林业森林生态系统服务功能研究，出版时间：2017 年 6 月
7. 宁夏贺兰山国家级自然保护区森林生态系统服务功能评估，出版时间：2017 年 7 月
8. 陕西省森林与湿地生态系统治污减霾功能研究，出版时间：2018 年 1 月
9. 上海市森林生态连清与生态系统服务研究，出版时间：2018 年 3 月
10. 辽宁省生态公益林资源现状及生态系统服务功能研究，出版时间：2018 年 10 月
11. 森林生态学方法论，出版时间：2018 年 12 月
12. 内蒙古呼伦贝尔市森林生态系统服务功能与价值研究，出版时间：2019 年 7 月
13. 山西省森林生态连清与生态系统服务功能研究，出版时间：2019 年 7 月
14. 山西省直国有林森林生态系统服务功能研究，出版时间：2019 年 7 月
15. 内蒙古大兴安岭重点国有林管理局森林与湿地生态系统服务功能研究与价值评估，出版时间：2020 年 4 月
16. 山东省淄博市原山林场森林生态系统服务功能及价值研究，出版时间：2020 年 4 月
17. 广东省林业生态连清体系网络布局与监测实践，出版时间：2020 年 6 月
18. 森林氧吧监测与生态康养研究——以黑河五大连池风景区为例，出版时间：2020 年 7 月
19. 辽宁省森林、湿地、草地生态系统服务功能评估，出版时间：2020 年 7 月
20. 贵州省森林生态连清监测网络构建与生态系统服务功能研究，出版时间：2020 年 12 月
21. 云南省林草资源生态连清体系监测布局与建设规划，出版时间：2021 年 8 月
22. 云南省昆明市海口林场森林生态系统服务功能研究，出版时间：2021 年 9 月

图 5-2　"中国森林生态系统连续观测与清查及绿色核算"系列丛书

第三节　林业生态工程监测评估国家报告

　　基于森林生态连清体系，开展了我国林业重大生态工程生态效益的监测评估工作，包括：退耕还林(草)工程和天保工程，以国家报告的形式向社会公布(图5-3)。退耕还林(草)工程共开展了5期监测评估工作，分别针对退耕还林6个重点监测省份(国家林业局，2013)、长江和黄河流域中上游退耕还林工程(国家林业局，2014)、北方沙化土地的退耕还林工程(国家林业局，2015)、退耕还林工程全国实施范围(国家林业局，2016)、集中连片特困地区退耕还林工程(国家林业和草原局，2017)开展了工程生态效益、社会效益和经济效益的耦合评估。针对天保工程，分别在东北、内蒙古重点国有林区(国家林业局，2016)和黄河流域上中游地区开展了2期天保工程效益监测评估功能工作。

图 5-3　林业生态工程效益监测国家报告

参考文献

曹嘉瑜，刘建峰，袁泉，等，2020. 森林与灌丛的灌木性状揭示不同的生活策略[J]. 植物生态学报，44(07)：715-729.

陈辉，洪伟，兰斌，等，1998. 闽北毛竹生物量与生产力的研究[J]. 林业科学，34(专刊1)：60-64.

陈灵芝，1997. 中国森林生态系统养分循环[M]. 北京：气象出版社.

陈世苹，白永飞，韩兴国，2002. 稳定碳同位素技术在生态学研究中的应用. 植物生态学报，26(5)：549-560.

崔传洋，2016. 基于二类调查数据的县级森林碳储量及碳密度测算[D]. 泰安：山东农业大学.

丁肇慰，肖能文，高晓奇，等，2020. 长江流域2000—2015年生态系统质量及服务变化特征[J]. 环境科学研究，33(5)：1308-1314.

董秀凯，管清成，徐丽娜，等，2017. 吉林省白石山林业局森林生态系统服务功能研究[M]. 北京：中国林业出版社.

房瑶瑶，王兵，牛香，2016. 4树种叶片表面颗粒物洗脱特征与其微观形态的关系[J]. 西北农林科技大学学报，44(8)：119-126.

高翔伟，戴咏梅，韩玉洁，等，2017. 上海市森林生态连清体系监测布局与网络建设研究[M]. 北京：中国林业出版社.

郭慧，2014. 森林生态系统长期定位观测台站布局体系研究[D]. 北京：中国林业科学研究院.

国家林业局，1977. 全国森林资源统计(1973—1976)[R].

国家林业局，1983. 全国森林资源统计(1977—1981)[R].

国家林业局，1989. 全国森林资源统计(1984—1988)[R].

国家林业局，1994. 全国森林资源统计(1989—1993)[R].

国家林业局，2000. 全国森林资源统计(1994—1998)[R].

国家林业局，2005. 全国森林资源统计(1999—2003)[R].

国家林业局，2016. 天然林资源保护工程东北、内蒙古重点国有林区效益监测国家报告[M]. 北京：中国林业出版社.

国家林业局，2014. 退耕还林工程生态效益监测国家报告［M］. 北京：中国林业出版社.

国家林业局，2015. 退耕还林工程生态效益监测国家报告［M］. 北京：中国林业出版社.

国家林业局，2016a. 退耕还林工程生态效益监测国家报告［M］. 北京：中国林业出版社.

国家林业局，2019. 中国森林资源报告（2004—2008）［M］. 北京：中国林业出版社.

国家林业局，2014. 中国森林资源报告（2009—2013）［M］. 北京：中国林业出版社.

国家林业局，2014. 中国森林资源报告（2009—2013）［M］. 北京：中国林业出版社.

蒋有绪，郭泉水，马娟，1998. 中国森林群落分类及其群落学特征（第二版）［M］. 北京：科学出版社.

雷加富，2005. 中国森林资源［M］. 北京：中国林业出版社.

李景全，牛香，曲国庆，等，2017. 山东省济南市森林与湿地生态系统服务功能研究［M］. 北京：中国林业出版社.

李少宁，王兵，郭浩，等，2007. 大岗山森林生态系统服务功能及其价值评估［J］. 中国水土保持科学，5（6）：58-64.

李淑仪，2007. 桉树土壤与营养研究［M］. 广州：广东科技出版社.

李双成，杨勤业，2000. 中国森林资源动态变化的社会经济学初步分析［J］. 地理研究，19（1）：1-7.

鲁绍伟，靳芳，余新晓，等，2005. 中国森林生态系统保护土壤的价值评价［J］. 中国水土保持科学，3（3）：16-21.

马明东，2008. 云杉（*Picea asperata*）天然林可持续经营理论与技术［D］. 雅安：四川农业大学.

马秀芳，2007. 广东省森林资源动态变化及其服务功能价值评估［D］. 广州：广州大学.

牛香，宋庆丰，王兵，等，2013. 吉林省森林生态系统服务功能［J］. 东北林业大学学报，41（8）：36-41.

牛香，王兵，2012. 基于分布式测算方法的福建省森林生态系统服务功能评估［J］. 中国水土保持科学，10（2）：36.

牛香，胡天华，王兵，等，2017. 宁夏贺兰山国家级自然保护区森林生态系统服务功能［M］. 北京：中国林业出版社.

牛香，2012. 森林生态效益分布式测算及其定量化补偿研究——以广东和辽宁省为例［D］. 北京：北京林业大学.

潘勇军，陈步峰，王兵，等，2013. 广州市森林生态系统服务功能评估[J]. 中南林业科技大学学报，33(5)：73-78.

邱仁辉，杨玉盛，陈光水，等，2000. 森林经营措施对土壤的扰动和压实影响[J]. 山地学报，18(3)：231-236.

任军，宋庆丰，山广茂，等，2016. 吉林省森林生态连清与生态系统服务研究[M]. 北京：中国林业出版社.

师贺雄，王兵，牛香，2016. 城市森林生态系统滞纳空气颗粒物功能向生态系统服务的转化率[J]. 应用与环境生物学报，22 (6)：1069-1073.

宋庆丰，王雪松，王晓燕，等，2015. 基于生物量的森林生态功能修正系数的应用——以辽宁省退耕还林工程为例[J]. 中国水土保持科学，13(3)：111-116.

孙玉军，2007. 资源环境监测与评价[M]. 北京：高等教育出版社.

孙源和，1987. 浙江省森林资源概况与动态浅析[J]. 浙江林业科技，3：002.

汤国安，张友顺，2005. 遥感数字图像处理[M]. 北京：科学出版社.

唐守正，张会儒，2002. 森林资源调查监测体系文集[M]. 北京：中国科学技术出版社.

王兵，崔向慧，杨锋伟，2004. 中国森林生态系统定位研究网络的建设与发展[J]. 生态学杂志(4)：84-91.

王兵，丁访军，2012. 森林生态系统长期定位研究标准体系[M]. 北京：中国林业出版社.

王兵，高鹏，郭浩，等，2009. 江西大岗山林区樟树年轮对气候变化的响应[J]. 应用生态学报，20(1)：71-76.

王兵，郭浩，王燕，等，2007. 森林生态系统健康评估研究进展[J]. 中国水土保持科学，5(3)：114-121.

王兵，李少宁，郭浩，2007. 江西省森林生态系统服务功能及其价值评估研究[J]. 江西科学，25(5)：553-559.

王兵，李少宁，2006. 数字化森林生态站构建技术研究[J]. 林业科学，42(1)：116-121.

王兵，鲁少波，白秀兰，等，2011a. 江西省广丰县森林生态系统健康状况研究[J]. 江西农业大学报，33(3)：521-528.

王兵，鲁绍伟，尤文忠，等，2010. 辽宁省森林生态系统服务价值评估[J]. 应用生态学报，21(7)：1792-1798.

王兵，鲁绍伟，2009. 中国经济林生态系统服务价值评估[J]. 应用生态学报，20(2)：417-425.

王兵，魏江生，胡文，2009. 贵州省黔东南州森林生态系统服务功能评估［J］. 贵州大学学报：自然科学版，26(5)：42-47，52.

王兵，魏江生，胡文，2011b. 中国灌木林-经济林-竹林的生态系统服务功能评估［J］. 生态学报，31(7)：1936-1945.

王兵，张方秋，周平，等，2011c. 广东省森林生态系统服务功能评估［M］. 北京：中国林业出版社.

王兵，张维康，牛香，2016. 北京10个常绿树种颗粒物吸附能力研究［J］. 环境科学，36(2)：408-412.

王兵，郑秋红，郭浩，2008. 基于 Shannon-Wiener 指数的中国森林物种多样性保育价值评估方法［J］. 林业科学研究，21(2)：268-274.

王兵，2015. 森林生态连清技术体系构建与应用［J］. 北京林业大学学报，1(37)：2-3.

王丙超，2007. 天山中段天山云杉林森林水文效应研究［D］. 乌鲁木齐：新疆农业大学.

王庚辰，2000. 气象和大气环境要素观测与分析［M］. 北京：中国标准出版社.

王红亚，2007. 水文概论［M］. 北京：北京大学出版社.

王慧，王兵，牛香，宋庆丰，2017. 长白山森工集团天保工程生态效益动态变化［J］. 中国水土保持科学，15(5)：86-93.

王娟，2016. 半干旱区沙地小叶锦鸡儿和黄柳人工灌木林碳汇功能研究［D］. 呼和浩特：内蒙古农业大学.

王凯，2016. 山东省森林资源变化及驱动力分析［D］. 泰安：山东农业大学.

王淼，2011. 基于"3S"技术的黄龙山林地资源时空动态变化及驱动力分析［D］. 杨凌：西北农林科技大学.

魏文俊，王兵，牛香，2017. 北方沙化土地退耕还林工程生态系统服务功能特征及其对农户福祉的影响研究［J］. 内蒙古农业大学学报（自然科学版），38(2)：20-26.

吴征镒，1980. 中国植被［M］. 北京：科学出版社.

吴中伦，1997. 中国森林［M］. 北京：中国林业出版社.

武金翠，周军，张宇，等，2020. 毛竹林固碳增汇价值的动态变化：以福建省为例［J］. 林业科学，56(04)：181-187.

席承藩，1984. 中国自然区划概要［M］. 北京：科学出版社.

夏尚光，牛香，苏守香，等，2016. 安徽省森林生态连清与生态系统服务研究［M］. 北京：中国林业出版社.

肖兴威，2005. 中国森林资源清查[M]. 北京：中国林业出版社.

杨锋伟，鲁绍伟，王兵，2008. 南方雨雪冰冻灾害受损森林生态系统生态服务功能价值评估[J]. 林业科学，44(11)：101-110.

杨国亭，王兵，殷彤，等，2016. 黑龙江省森林生态连清与生态系统服务研究[M]. 北京：中国林业出版社.

于贵瑞，张雷明，孙晓敏，等，2005. 亚洲区域陆地生态系统碳通量观测研究进展[J]. 中国科学：D辑，34(A02)：15-29.

张维康，王兵，牛香，2016. 北京市常见树种叶片吸滞颗粒物能力时间动态研究[J]. 环境科学学报，36(10)：3840-3848.

张永利，杨锋伟，王兵，等，2010. 中国森林生态系统服务功能研究[M]. 北京：科学出版社.

张志国，2014. 杨树的生长特性与栽培[M]. 济南：山东科学技术出版社.

赵松乔，1983. 中国综合自然地理区划的一个新方案[J]. 地理学报，38(1)：1-10.

郑度，2008. 中国生态地区域系统研究[M]. 北京：商务印书馆.

郑度，杨勤业，赵名茶，1997. 自然地域系统研究[M]. 北京：中国环境科学出版社.

郑度，欧阳，周成虎，2008. 对自然地理区划方法的认识与思考[J]. 地理学报，(6)：563-573.

郑秋红，2009. 基于生态地理区划的中国森林生态系统典型抽样布局体系[D]. 北京：中国林业科学研究院.

中国科学院中国植被图编辑委员会，2007a. 中国植被及其地理格局(中华人民共和国植被图1：1000000说明书)[M]. 北京：地质出版社.

中国科学院中国植被图编辑委员会，2007b. 中华人民共和国植被图(1：1000000)[M]. 北京：地质出版社.

中国森林生态系统服务功能评估项目组，2010. 中国森林生态系统服务功能评估[M]. 北京：中国林业出版社.

中华人民共和国国务院，2010. 全国主体功能区规划[R].

中华人民共和国环境保护部，2010. 中国生物多样性保护战略与行动计划[R].

"中国森林生态系统服务功能评估"项目组，2010. 中国森林生态系统服务功能评估[M]. 北京：中国林业出版社.

"中国森林资源核算研究"项目组，2015. 生态文明制度构建中的中国森林资源核算研究[M]. 北京：中国林业出版社.

Bing Wang, Peng Gao b, Xiang Niu a, Jianni Sun, 2017. Policy-driven China's Grain to Green Program: Implications for ecosystem services[J]. Ecosystem Services, 27: 38-47.

Brown S, LugoA E, 1984. Biomass of tropical forests: a new estimate based on forest volumes[J]. Science, 223: 1290-1293.

Chen X, Zhang X, Zhang Y, et al, 2009. Carbon sequestration potential of the stands under the Grain for Green Program in Yunnan Province, China[J]. Forest ecology and management, 258(3): 199-206.

Contribution to the Fifth Assessment Report of the Intergovernmental Panel on Climate Change[R].

Costanza R, d'Arge R, de Groot R, et al, 1997. The value of the world's ecosystem services and natural capital[J]. Nature, 387: 253-260.

Daily G C, 1997. Introduction: What are ecosystem services? Daily G C. Nature's Services: Societal Dependence on Natural Ecosystems[M]. Washington DC: Island Press.

Daly, H E, 1998. The return of Landerdale's paradox[J]. Ecological Economics, 25: 21.

IEEE Transactions on Geosciences and Remote Sensing, 2009, 47(12): 4167-4174.

IPCC, 2001. Climate change 2001-the scientific basis[M]. Cambridge: Cambridge University Press.

IPCC, 2003. IPCC meeting on current scientific understanding of the p rocesses affecting terrestrial carbon stocks and human influences upon them // Schimel D, Manning M, IPCC Expert Meeting Report[J]. IPCC Secretariat, Geneva, Switzerland, 34.

IUFRO-Congress, 1992. Proceeding of Ilysale Symposium On National Foresty invention[R].

Lenoir J, Gegout J C, Marquet P A, et al, 2008. A significant upward shift in plant species optimum elevation during the 20th century[J]. Science, 320: 1768-1771.

Lindenmayer D B, Likens G E, 2010. The science and application of ecologicalmonitoring[J]. Biological Conservation, 143(6): 1317-1328.

MA (Millennium Ecosystem Assessment), 2005. Ecosystem and Human Well-Being: Synthesis[M]. Washington DC: Island Press.

N(Iltern) ILTER, P S, 2000. The International Long Term Ecological Research Network 2000: Perspectives from Participating Networks[R].

Nianpeng He, Ding Wen, JIANXING ZHU, et al, 2016. Vegetation carbon sequestration in Chinese forests from 2010 to 2050 [J]. Global Change Biology, doi: 10. 1111/gcb. 13479.

Niu X, Wang B, 2013b. Assessment of forestecosystem services in China: A methodology. Journal of Food, Agriculture & Environment, 11 (3&4): 2249-2254.

Niu X, Wang B, Liu S R, et al, 2012. Economical assessment of forest ecosystem services in China: Characteristics and implications[J]. Ecological Complexity, 11: 1-11.

Niu X, Wang B, Wei W J, 2013a. Chinese forest ecosystem research network: A platform for observing and studying sustainable forestry[J]. Journal of Food, Agriculture & Environment, 11(2): 1008-1016.

NSF, 2002b. Facilities Management and Oversight Guide. Arlington, VA: National Science Foundation[R].

NSF, 2002a. National Ecological Observatory Network. Arlington, VA: National Science Foundation[R].

Omernik J M, 1995. Ecoregions: a framework for managing ecosystems [J]. The George Wright Forum, 12(1): 35-50.

Wang X, Lu C, Fang J, et al, 2007. Implications for development of grain-for-green policy based on cropland suitability evaluation in desertification-affected north China. Land Use Policy, 24(2): 417-424.

Wang J F, Christakos G, Hu M G, et al, 2009. Modelling spatial means of surfaces with stratified non-homogeneity [J]. IEE Transactions on Geosciences and Remote Sensing, 47(12): 4167-4174.

Xiang Niu, Bing Wang, Wenjun Wei, 2017. Roles of ecosystems in greenhouse gas emission and haze reduction in China. Pol. J. Environ. Stud, 26(3): 955-959.

附　录

森林生态系统国家定位观测研究站名录

序号	生态站名称	技术依托单位	建设单位
1	北京燕山森林生态系统国家定位观测研究站	北京市林业果树科学研究院	北京市林业果树科学研究院
2	河北塞罕坝森林生态系统国家定位观测研究站	北京大学	河北省塞罕坝机械林场总场
3	河北太行山东坡森林生态系统国家定位观测研究站	中国科学院遗传与发育生物学研究所农业资源研究中心	河北省赞皇县虎寨口国营林场
4	河北小五台山森林生态系统国家定位观测研究站	河北省林业科学研究院	河北省林业科学研究院
5	山西太行山森林生态系统国家定位观测研究站	山西省林业科学研究院	山西省林业科学研究院
6	内蒙古赤峰森林生态系统国家定位观测研究站	赤峰市林业科学研究院	赤峰市林业科学研究院
7	内蒙古大青山森林生态系统国家定位观测研究站	内蒙古自治区林业科学研究院	内蒙古自治区林业科学研究院
8	内蒙古大兴安岭森林生态系统国家定位观测研究站	内蒙古农业大学	内蒙古农业大学
9	内蒙古鄂尔多斯森林生态系统国家定位观测研究站	内蒙古自治区林业科学研究院	内蒙古自治区林业科学研究院
10	内蒙古七老图山森林生态系统国家定位观测研究站	北京林业大学	喀喇沁旗旺业甸实验林场
11	内蒙古赛罕乌拉森林生态系统国家定位观测研究站	内蒙古农业大学	赛罕乌拉国家级自然保护区管理局
12	内蒙古特金罕山森林生态系统国家定位观测研究站	内蒙古通辽市林业科学研究院	通辽市扎鲁特旗罕山林场
13	辽宁白石砬子森林生态系统国家定位观测研究站	辽宁省林业科学研究院	辽宁省林业科学研究院
14	辽宁冰砬山森林生态系统国家定位观测研究站	辽宁省林业科学研究院	辽宁省林业科学研究院
15	辽宁辽东半岛森林生态系统国家定位观测研究站	辽宁省森林经营研究所	辽宁省森林经营研究所
16	辽宁辽河平原森林生态系统国家定位观测研究站	沈阳农业大学	沈阳农业大学

（续）

序号	生态站名称	技术依托单位	建设单位
17	吉林松江源森林生态系统国家定位观测研究站	吉林省林业勘察设计研究院	吉林省林业勘察设计研究院
18	吉林长白山森林生态系统国家定位观测研究站	吉林省林业科学研究院	吉林省林业科学研究院
19	吉林长白山西坡森林生态系统国家定位观测研究站	中国科学院沈阳应用生态研究所	吉林省露水河林业局
20	黑龙江黑河森林生态系统国家定位观测研究站	黑龙江省森林与环境科学研究院	黑河市林业科学院
21	黑龙江七台河森林生态系统国家定位观测研究站	黑龙江省森林与环境科学研究院	黑龙江省森林与环境科学研究院
22	浙江凤阳山森林生态系统国家定位观测研究站	南京林业大学、浙江省林业科学研究院	浙江凤阳山—百山祖国家级自然保护区凤阳山管理处
23	浙江天目山森林生态系统国家定位观测研究站	浙江农林大学	浙江天目山国家级自然保护区管理局
24	安徽大别山森林生态系统国家定位观测研究站	安徽农业大学	安徽天马国家级自然保护区管理局
25	安徽黄山森林生态系统国家定位观测研究站	安徽省林业科学研究院	安徽省林业科学研究院
26	福建武夷山森林生态系统国家定位观测研究站	福建省林业科学研究院	武夷山国家级自然保护区管理局
27	江西九连山森林生态系统国家定位观测研究站	江西农业大学	江西九连山国家级自然保护区管理局
28	江西庐山森林生态系统国家定位观测研究站	江西农业大学	江西庐山国家级自然保护区管理局
29	山东黄河三角洲森林生态系统国家定位观测研究站	山东省林业科学研究院	山东省林业科学研究院
30	山东临沂森林生态系统国家定位观测研究站	临沂市林业科学研究所	临沂市林业科学研究所
31	山东青岛森林生态系统国家定位观测研究站	山东大学	青岛市林业科学研究所
32	山东泰山森林生态系统国家定位观测研究站	山东农业大学	山东省药乡林场
33	河南黄淮海农田防护林生态系统国家定位观测研究站	河南省林业科学研究院	河南省林业科学研究院
34	河南鸡公山森林生态系统国家定位观测研究站	信阳市林业科学研究所	信阳市林业科学研究所

（续）

序号	生态站名称	技术依托单位	建设单位
35	河南禹州森林生态系统国家定位观测研究站	河南省林业科学研究院	河南省林业科学研究院
36	湖北大巴山森林生态系统国家定位观测研究站	湖北省林业科学研究院	湖北省林业科学研究院
37	湖北恩施森林生态系统国家定位观测研究站	湖北民族学院	湖北星斗山国家级自然保护区管理局
38	湖北神农架森林生态系统国家定位观测研究站	湖北省林业科学研究院	湖北省林业科学研究院
39	湖南慈利森林生态系统国家定位观测研究站	湖南省林业科学院	湖南省林业科学院
40	湖南衡山森林生态系统国家定位观测研究站	湖南省林业科学院	湖南省南岳区南岳国有林场
41	湖南芦头森林生态系统国家定位观测研究站	中南林业科技大学	中南林业科技大学芦头实验林场
42	广东东江源森林生态系统国家定位观测研究站	广东省林业科学研究院	广东省林业科学研究院
43	广东南岭森林生态系统国家定位观测研究站	广东省林业科学研究院	广东省林业科学研究院
44	广东汕头沿海防护林生态系统国家定位观测研究站	广东省林业科学研究院	广东省林业科学研究院
45	广西大瑶山森林生态系统国家定位观测研究站	广西大学林学院	广西壮族自治区林业勘测设计院
46	广西漓江源森林生态系统国家定位观测研究站	广西壮族自治区林业科学研究院	广西壮族自治区林业科学研究院
47	广西友谊关森林生态系统国家定位观测研究站	中国林业科学研究院热带林业实验中心	中国林业科学研究院热带林业实验中心
48	海南文昌森林生态系统国家定位观测研究站	海南省林业科学研究所	海南省林业科学研究所
49	海南五指山森林生态系统国家定位观测研究站	海南大学	海南五指山国家级自然保护区管理局
50	重庆武陵山森林生态系统国家定位观测研究站	重庆市林业科学研究院	重庆市林业科学研究院
51	四川龙门山森林生态系统国家定位观测研究站	四川省林业科学研究院	四川省林业科学研究院
52	四川峨眉山森林生态系统国家定位观测研究站	乐山市林业科学研究所	四川峨眉山—乐山大佛风景区管委会林业管理所

（续）

序号	生态站名称	技术依托单位	建设单位
53	四川卧龙森林生态系统国家定位观测研究站	四川省林业科学研究院	四川省林业科学研究院
54	贵州梵净山森林生态系统国家定位观测研究站	贵州科学院	贵州梵净山国家级自然保护区管理局
55	贵州雷公山森林生态系统国家定位观测研究站	贵州省林业科学研究院	贵州雷公山国家级自然保护区管理局
56	贵州荔波喀斯特森林生态系统国家定位观测研究站	贵州省林业科学研究院	贵州省林业科学研究院
57	云南滇中高原森林生态系统国家定位观测研究站	云南省林业科学院	云南省林业科学院
58	云南高黎贡山森林生态系统国家定位观测研究站	云南省林业科学院	云南省林业科学院
59	西藏林芝森林生态系统国家定位观测研究站	西藏大学农牧学院	西藏大学农牧学院
60	陕西黄龙山森林生态系统国家定位观测研究站	西北农林科技大学、西北林业规划设计院	陕西省延安市黄龙山林业局
61	甘肃白龙江森林生态系统国家定位观测研究站	甘肃农业大学、甘肃省白龙江林业管理局林业科学研究所	甘肃省白龙江林业管理局
62	甘肃河西走廊森林生态系统国家定位观测研究站	甘肃省治沙研究所	甘肃省治沙研究所
63	甘肃祁连山森林生态系统国家定位观测研究站	甘肃省祁连山水源涵养林研究院	甘肃省祁连山水源涵养林研究院
64	甘肃小陇山森林生态系统国家定位观测研究站	西北农林科技大学	甘肃省小陇山林业实验局
65	甘肃兴隆山森林生态系统国家定位观测研究站	甘肃省林业科学研究院	甘肃省林业科学研究院
66	青海大渡河源森林生态系统国家定位观测研究站	青海省农林科学院	青海省玛可河林业局
67	青海祁连山南坡森林生态系统国家定位观测研究站	中国科学院西北高原生物研究所	青海省互助县北山林场
68	宁夏贺兰山森林生态系统国家定位观测研究站	西北农林科技大学	宁夏贺兰山国家级自然保护区管理局
69	宁夏吴忠农田防护林生态系统国家定位观测研究站	宁夏大学	宁夏吴忠市林业技术推广服务中心
70	新疆阿尔泰山森林生态系统国家定位观测研究站	新疆林业科学院	新疆林业科学院

（续）

序号	生态站名称	技术依托单位	建设单位
71	新疆阿克苏森林生态系统国家定位观测研究站	新疆林业科学院	新疆林业科学院
72	新疆塔里木河胡杨林生态系统国家定位观测研究站	新疆林业科学院	新疆林业科学院
73	新疆天山森林生态系统国家定位观测研究站	新疆林业科学院	新疆林业科学院
74	新疆西天山森林生态系统国家定位观测研究站	中国林业科学研究院资源信息研究所	新疆天山西部国有林管理局
75	新疆伊犁森林生态系统国家定位观测研究站	伊犁哈萨克自治州林业科学研究院	伊犁哈萨克自治州林业科学研究院
76	黑龙江牡丹江森林生态系统国家定位观测研究站	黑龙江省森林工程与环境研究所	黑龙江省森林工程与环境研究所
77	黑龙江小兴安岭森林生态系统国家定位观测研究站	黑龙江省林业科学研究所	黑龙江丰林国家级自然保护区管理局
78	黑龙江雪乡森林生态系统国家定位观测研究站	黑龙江省牡丹江林业科学研究所	黑龙江省牡丹江林业科学研究所
79	黑龙江嫩江源森林生态系统国家定位观测研究站	大兴安岭林业集团公司农业林业科学研究院	大兴安岭林业集团公司农业林业科学研究院
80	广东湛江桉树林生态系统国家定位观测研究站	国家林业和草原局桉树研究开发中心	国家林业和草原局桉树研究开发中心
81	广东珠江三角洲森林生态系统国家定位观测研究站	中国林业科学研究院热带林业研究所	中国林业科学研究院热带林业研究所
82	海南霸王岭森林生态系统国家定位观测研究站	中国林业科学研究院森林生态环境与保护研究所	中国林业科学研究院森林生态环境与保护研究所
83	海南尖峰岭森林生态系统国家定位观测研究站	中国林业科学研究院热带林业研究所	中国林业科学研究院热带林业研究所
84	河南宝天曼森林生态系统国家定位观测研究站	中国林业科学研究院森林生态环境与保护研究所	中国林业科学研究院森林生态环境与保护研究所
85	河南黄河小浪底森林生态系统国家定位观测研究站	中国林业科学研究院林业研究所	中国林业科学研究院林业研究所
86	湖北秭归三峡库区森林生态系统国家定位观测研究站	中国林业科学研究院森林生态环境与保护研究所	中国林业科学研究院森林生态环境与保护研究所
87	华东沿海防护林生态系统国家定位观测研究站	中国林业科学研究院亚热带林业研究所	中国林业科学研究院亚热带林业研究所
88	江西大岗山森林生态系统国家定位观测研究站	中国林业科学研究院森林生态环境与保护研究所	中国林业科学研究院森林生态环境与保护研究所

（续）

序号	生态站名称	技术依托单位	建设单位
89	南岭北江源森林生态系统国家定位观测研究站	中国林业科学研究院热带林业研究所	中国林业科学研究院热带林业研究所
90	宁夏六盘山森林生态系统国家定位观测研究站	中国林业科学研究院森林生态环境与保护研究所	宁夏六盘山国家级自然保护区管理局
91	山东昆嵛山森林生态系统国家定位观测研究站	中国林业科学研究院森林生态环境与保护研究所	中国林业科学研究院森林生态环境与保护研究所
92	云南普洱森林生态系统国家定位观测研究站	中国林业科学研究院资源昆虫研究所	中国林业科学研究院资源昆虫研究所
93	浙江杭嘉湖平原森林生态系统国家定位观测研究站	国家林业和草原局竹子研究开发中心	国家林业和草原局竹子研究开发中心
94	浙江钱江源森林生态系统国家定位观测研究站	中国林业科学研究院亚热带林业研究所	中国林业科学研究院亚热带林业研究所
95	山西吉县黄土高原森林生态系统国家定位观测研究站	北京林业大学	北京林业大学
96	山西太岳山森林生态系统国家定位观测研究站	北京林业大学	北京林业大学
97	首都圈森林生态系统国家定位观测研究站	北京林业大学	北京林业大学
98	重庆缙云山三峡库区森林生态系统国家定位观测研究站	北京林业大学	北京林业大学
99	黑龙江凉水森林生态系统国家定位观测研究站	东北林业大学	黑龙江凉水国家级自然保护区管理局
100	黑龙江帽儿山森林生态系统国家定位观测研究站	东北林业大学	东北林业大学
101	黑龙江漠河森林生态系统国家定位观测研究站	东北林业大学	东北林业大学
102	江苏长江三角洲森林生态系统国家定位观测研究站	南京林业大学	南京林业大学
103	湖南会同森林生态系统国家定位观测研究站	中南林业科技大学	中南林业科技大学
104	云南玉溪森林生态系统国家定位观测研究站	西南林业大学	云南磨盘山国家森林公园管理所
105	陕西秦岭森林生态系统国家定位观测研究站	西北农林科技大学	西北农林科技大学
106	黑龙江抚远森林生态系统国家定位观测研究站	国家林业和草原局哈尔滨林业机械研究所	国家林业和草原局哈尔滨林业机械研究所